AGENTES ESPECIALES

MARCIAL LAFUENTE
ESTEFANÍA

Lady Valkyrie
Colección Oeste®

Lady Valkyrie, LLC
United States of America
Visit ladyvalkyrie.com

Published in the United States of America

Lady Valkyrie and its logo are trademarks
and/or registered trademarks of Lady Valkyrie LLC

Lady Valkyrie Colección Oeste is a trademark
and/or a registered trademark of Lady Valkyrie LLC

First published as a Lady Valkyrie Colección Oeste novel.

ISBN 978-1619515567
Library of Congress Cataloguing in Publication Data available

Índice por Capítulos

Capítulo 1

La paz no suele ser conveniente para ciertas personas. Es algo difícil de creer, pero así sucedió también en esta ocasión.

Desde la firma del pacto de Guadalupe Hidalgo, varios generales mexicanos que no se avenían de buen grado a la pérdida de tantos y tan ricos territorios, intentaron vengar lo que para ellos suponía un agravio y hasta un deshonor; con frecuencia se gestaban levantamientos en el interior de México contra el Gobierno central, ondeando como bandera, el castigo a Estados Unidos de América del Norte. Tesón este, que permitió una especulación en toda la divisoria de las dos partes, de pingües beneficios.

El contrabando de armas, especialmente, hizo nacer lo que se conocía por allí como: «patrullas del desierto», ya que la divisoria entre México y Estados Unidos por la parte que no está delineada por el Río Grande para los americanos, o río Bravo para los de México, es en su mayoría una franja desértica, a veces de muchas millas de anchura, especialmente, en lo que es desde hace años el estado de Arizona.

Estas zonas desérticas se prestaban para este ilícito comercio, apoyados a veces quienes lo ejercían, por la crueldad de los indios apaches, muy en especial por los pertenecientes a la tribu chiricahua, de esta familia indígena, cuya rebeldía no fue sometida hasta en los umbrales de este siglo.

Fue el célebre Jerónimo el último de los jefes chiricahuas, quien, refugiado en las montañas, que, por tal motivo tomaron el nombre de Chiricahua, rodeado de una banda de renegados, se dedicó al pillaje, llegando en sus incursiones hasta las puertas de Tucson de un lado, y hasta la misión de Tumacacuri por el sur.

Esta misión de Tamacacuri, fue saqueada infinitas veces por los apaches chiricahuas.

* * *

El destino del tren era Tucson.

Los frenos, con sus lamentos metálicos, en chirrido desagradable, coreaban el lento detenerse del ferrocarril, en la destartalada estación de Tucson y de los vagones incómodos descendían los viajeros, muchos de los cuales eran esperados por familiares y otros, con sus grandes maletas casi arrastrando, salían hasta la parte exterior del edificio del otro lado, donde algunos personas esperaban a estos posibles clientes para, por veinticinco centavos, llevarles hasta el final de la Speedway Avenue o la Broadway Avenue, que perfectamente paralelas se alejaban quince millas del núcleo de la ciudad.

Cuando la estación quedó desierta de viajeros, y, por tanto, silenciosa, se abrió la puerta corredera de uno de los vagones de cola del monstruo de hierro y asomó, con precaución, la cabeza de un joven tan moreno y tostado por el sol y los vientos, que sus dientes, al sonreír, destacaban de modo sobresaliente en el rostro agradable. El cabello revuelto, muy ensortijado, le caía, rebelde, por la frente, teniendo que retirarlo con la mano nervuda. Abrió más la puerta y colocándose el sombrero, animó con frases de cariño al caballo que tenía cogido por la brida. El vagón había quedado frente al muelle alargado, y le fue muy sencillo salir de su encierro.

El vaquero, liando un cigarrillo, iba mirando de reojo a uno y otro lado, con el temor lógico reflejado en su rostro, de ser sorprendido. Pero nadie se preocupaba de él y así pudo salir de los terrenos cercados por la estación y entrar en lo que era zona urbana de Tucson.

Vestía el joven, ya que no llegaría a la treintena, a lo cowboy. Una camisa de colorines remangada hasta los codos; un chaleco de gamuza, muy brillante por el uso; al cuello, un pañuelo anudado cuyo color primitivo sería difícil deducir.

Unos pantalones remendados de cuero grasiento y muy gastados, eran sujetados por un ancho cinturón canana, del que pendían a cada lado dos fundas, abiertas por abajo, por donde asomaban los cañones, que, a juzgar por el tamaño de las fundas, habían de ser largos, pertenecientes a armas con culatas blancas de nácar en las que armonizaba el plateado del metal.

Altas botas, muy arrugadas en la parte baja de la caña; los tacones altos hacían repiquetear sonoramente a las anchas rodelas de artísticas espuelas de auténtica plata. Desde éstas el ancho sombrero ya viejo y muy usado, no habría menos de seis pies y medio.

Lentamente contemplaba los edificios de Tucson, de madera la mayoría, algunos de adobe y ladrillo rojo, especialmente en la esquina con la amplia avenida que partía hacia el este y donde había un saloon con un nombre que le hizo insistir en la lectura: El Saguaro.

A la barra del saloon, varios caballos, y cuando

el forastero acercó el suyo, éste era tan alto que destacaba de los demás de modo bien notorio. Claro que, viendo al jinete colocado al lado de aquéllos, era fácil imaginar el efecto que haría sobre ellos.

Se quitó el sombrero, peinó el cabello revuelto con los dedos, volvió a colocar aquél un poco echado hacia atrás y empujó la puerta con hojas de vaivén en el centro solamente y, despacio, entró en el local sin dejar de mirar con atención a un lado y otro, aunque en apariencia, atendía al cigarrillo que liaba y que al cerrar la boca del saquete de tabaco con los dientes, en movimiento circular, le sirvió para recorrer en este sentido la concurrencia, que dicho sea en honor a la verdad, no se preocupó de él en los primeros momentos.

Llegó hasta el mostrador y pidió un refresco. El dependiente, como si hubiera sido picado por una tarántula, miró sorprendido al joven, diciendo:

—¿Me ha pedido un refresco?

—Eso he dicho. ¿Es que es un delito? Y que sea grande; la clase me es indiferente.

—¡No, no! Pero... ¡Es tan extraño!

Y segundos después colocaba ante el forastero un gran vaso de refresco, que empezó a beber con ansia. Estaba sediento. Hizo un alto en la bebida y preguntó al asombrado dependiente:

—¿Está muy lejos Benson?

—No. Por el ferrocarril poco más de hora y media.

—¿Por el ferrocarril?

—Sí.

El forastero contrajo la boca en rictus de disgusto.

—Gracias. A caballo, ¿qué dirección debo tomar?

—Debe ir por esta calle misma hacia el sur y después por la desviación que a unas tres millas encontrará a la izquierda.

—Entendido.

Guardó silencio y siguió bebiendo, pidiendo otro refresco más.

—¿Viene de lejos? ¡Parece que trae sed! —Preguntó el del mostrador.

—Sí —respondió lacónicamente.

Comprendió el del mostrador que no deseaba hablar y guardó silencio también.

La entrada de otros vaqueros requirió su atención, aunque éstos no fueron hacia el mostrador, sino que se sentaron a una de las varias mesas que había vacías.

El forastero les miró con atención, aunque sin dejar de atender a su cigarrillo y su refresco.

En seguida, conversando estrepitosamente, entraron cuatro personajes, gritando casi desde la misma puerta uno de ellos:

—Joseph. Pon cuatro dobles secos.

—¡En seguida, míster Austin!

El forastero se puso un poco de lado al ver que iban hacia la parte en que él estaba.

—¡Oh! ¿Qué es eso? ¿Qué bebe este muchacho?

—Un refresco, míster Austin —respondió rápido Joseph.

—¡Uf! ¡Un refresco...! ¡Me pone enfermo esa bebida! ¡Vete de aquí a beber esa porquería!

No le hizo ningún caso el forastero. Siguió como si no hablara con él.

—¿Es que no me has oído...? ¡He dicho que no bebas esa porquería delante de mí! Bebe como los hombres, whisky o aguardiente.

En tono tranquilo, el forastero, respondió:

—¡He pedido refresco, que es lo que deseaba beber, y lo pienso terminar!

—¡Sí, eh! ¿Conque refresco? ¡Pues vete lejos de aquí! Me pone enfermo ver esa bebida de color.

—¡Retírese! Yo no le he pedido que venga a beber a mi lado. Estaba yo aquí cuando ha entrado.

—¡Austin, te ha dicho que te alejes!... ¿Por qué eres tan loco que no obedeces? —Dijo uno de los que estaban con Austin.

— ¡Déjalo, Leo! ¡Es cosa mía! —Protestó Austin por la intervención de Leo.

Rápidamente, intervino el barman, diciendo, mientras cogía el vaso del forastero:

—¡Le pondré en aquel lado el refresco!

El forastero dijo:

—¡No! ¡Pon a ellos el whisky allí! ¡A mí también me disgusta el olor del whisky!

El forastero fue a beber, pero un disparo certero rompió el vaso, salpicándole el rostro de bebida y trozos de cristal, que le hicieron sangrar junto a la boca.

Un coro de carcajadas restalló en los oídos del forastero que, tranquilamente, con el pañuelo anudado al cuello, trataba de controlar la sangre, muy poca, que fluía de las minúsculas heridas.

—¡Ahora me habrás conocido y aprenderás a obedecer cuando Austin ordena algo!

—¿Es así como actúas siempre? ¿A traición?

—Te avisó varias veces.

—¡Cállate, Phil! ¡Habla conmigo! ¡Mira, muchacho, será mejor que te vayas! He podido matarte, como has visto. No me obligues a que lo haga.

—No es motivo para matar a un hombre el que beba un refresco.

—Te he dicho que me producía náuseas esa bebida. Debiste alejarte de mí. Soy hombre de poca paciencia. Si vivieras aquí me conocerías. ¡Hola, sheriff! ¡No pregunte nada! Fui yo quien hizo ese disparo, pero no maté a nadie todavía. Simplemente, disparé contra un vaso de refresco que bebía este forastero. Pero antes de hacerlo, le avisé que se retirara de aquí.

El forastero comprobó que el sheriff no se atrevía a oponerse mucho a Austin.

—Ya. Debiste obedecer, muchacho —entró diciendo el sheriff.

—¿Y por qué no se retiraron de mi lado ya que yo estaba dentro cuando llegaron ellos?

—¡Claro! Eso es cierto también.

—¡Sheriff...! Supongo que no irá a dar la razón a este muchacho. Lo que tiene que hacer ahora, es preguntarle quién es y qué viene a hacer aquí. Andan muchos contrabandistas de armas por esta región.

El sheriff palideció tan visiblemente que el forastero comprendió su arrepentimiento por lo que acababa de decir. Su mirada era de temor.

Luego, dirigiéndose al joven, preguntó:

—¡Eso es verdad! Eres forastero, ¿no es cierto?

—¡Confieso que no le creí tan inteligente, sheriff!

Un trueno de carcajadas resonó en el local. El sheriff, furioso por ello, agregó:

—¡Te estoy interrogando en nombre de la ley!

—¿Qué ley? ¿La de este Austin?

—Si me provocas otra vez, te arrepentirás mucho—protestó en un gruñido Austin.

—¡No creas que volverás a sorprenderme!

—¡Nada de peleas! ¡Responde! ¿De dónde vienes?

—De Arizona.

Otras carcajadas, que enfurecieron más al sheriff.

—Si me sigues faltando, tendré que detenerte.

—Respondo a sus preguntas. ¿De qué se me acusa? Si no hay acusación, no responderé a sus preguntas, sheriff. Es la ley quien dice eso y usted dice representar a la ley. Si no es la ley de Austin, será mejor que me deje en paz. Yo también tengo poca paciencia.

—¡Esto es el colmo!

—¡Qué cinismo!

Dijeron Leo y Phil.

Joseph contemplaba la escena con la boca abierta.

—¡Quedas detenido! ¡Así aprenderás a respetar esta placa! ¡Anda, vamos a mi oficina!

—¡No, sheriff...! Ha vuelto a provocarme y le advertí que si lo hacía tendría que arrepentirse.

—¡Es mi detenido!

Intervino Austin, diciendo con sonrisa desagradable:

—¡Es usted realmente astuto...! Trata de llevárselo de aquí con el pretexto de que le detiene. ¡Pero, a mí, no me engaña, sheriff!

El forastero, por el gesto del sheriff, comprendió que era cierto lo que Austin decía y que era un pretexto la detención, para hacerle salir de allí. Sintió una gran simpatía por aquel viejo que le quería ayudar así.

—¡No! ¡No! No es cierto lo que dices. ¡Nada de peleas, Austin! ¡Es mi detenido!

El forastero, en tono calmado, dijo:

—¡Déjenos, sheriff...! Lamento no haberle conocido mejor antes. Por lo que oigo, Austin va a pelear conmigo en lucha noble y sin ninguna ventaja. No es su costumbre, seguramente, pero en honor a usted lo va a hacer por primera vez, aunque no está muy seguro del resultado.

Los que estaban sentados a las mesas, al oír al forastero, se pusieron en pie y se acercaron al grupo.

Austin, sonriente, contestó:

—Después de lo que he hecho con tu vaso, debías comprender qué te espera si es tu cuerpo el que elijo como blanco; pero no quiero matarte todavía, me agrada ver sufrir antes a los elegidos por mis armas.

—¿Has matado muchos?

—Algunos.

—Estoy totalmente seguro de que todos ellos fueron a traición. ¡De frente no te atreves!

—¡No intentes ponerme nervioso! No lo conseguirás.

—Si no te he matado antes, es porque desearía evitar esta pelea. No he visto ningún motivo para matar a un hombre a quien no conozco. No me importa decir a lo que he venido. Voy a los montes Tanque Verde en busca de un tal Will Bradley, que es cazador. Y después a Benson, a visitar a Morris, un ranchero de las proximidades.

—¡Eh...! ¿Tú conoces a Morris...? ¿Te refieres a John Morris? —Preguntó intrigado Austin.

—Sí, ¿por qué? ¿Le conoces acaso? ¡Es mi tío!

—¡Vaya...! O sea que eres sobrino de Morris. ¡Debí imaginarlo! ¡Tienes mucho temple y gran serenidad! Está bien, puedes beber otro refresco en mi presencia. ¡Morris es gran amigo mío!

Uno de los que le acompañaban a Austin, le dijo:

—Yo no me fiaría de este muchacho. Todo el mundo conoce tu amistad con Morris.

—¡Pero él es forastero, Leo!

Intervino el forastero. En tono frío, dijo:

—Con lo que acabas de decir, me has llamado mentiroso, cosa que te obliga a pelear conmigo.

El llamado Leo, replicó:

—Te vas a arrepentir. No creas que yo voy a aguantar como el patrón, te voy a...

—¿Ves como te equivocaste?

Leo se retorcía con la mano sangrando. El forastero, al disparar, lo hizo contra la mano que acariciaba la culata del arma.

La exaltación admirativa de los presentes, mezclada con los chillidos de dolor y rabia de Leo, hizo pensar a Austin que posiblemente había salvado su vida al decidir no pelear con el forastero.

Capítulo 2

Austin y el forastero, todavía seguían en el mismo local. Estaban hablando.

Después de estar hablando de temas sin importancia, Austin en tono algo preocupado, comentó:

—Si no se te ocurre hablar de tu tío John, hubiéramos peleado los dos.

—¡Sí, y te habría matado! Mejor dicho, habría tenido que mataros a los cuatro, pues tus muchachos querían defenderte.

—No creas que yo soy tan lento como Leo.

—Comparado conmigo lo eres y mucho. Será mejor que no me obligues nunca a demostrártelo.

Austin añadió:

—¡Los muchachos están demasiado revueltos! No debes permanecer muchos días aquí.

—Ya lo sé, pero conste que no les temo.

—¿Conoces a ese Will Bradley?

—No. Traigo un encargo para él de un amigo

suyo.

—Por aquí tiene mala fama.

—No me preocupa. Cada uno de nosotros sabemos quienes somos en realidad. No creas que me engañas con este magnífico rancho. Tus hombres tienen contigo una extraña confianza que suele ser producto de la complicidad en determinados hechos. No eres el ranchero habitual, respetado y obedecido por los vaqueros.

Austin, en completo silencio y muy taciturno, miró de arriba abajo a Eddy, que así dijo llamarse el forastero. Al fin, transcurridos unos cuantos minutos de esta minuciosa observación, dijo:

—Procura no imaginar lo que no sepas, ni meterte en lo que no te interesa. ¡No quisiera enfadarme contigo!

—Yo sé que los amigos de mi tío John han de ser como él, pero si te obstinas en decir lo contrario, no me preocupa. ¿Están muy lejos esos montes Tanque Verde?

—No. A unas treinta millas de aquí, detrás del bosque de saguaros. Es un sitio magnífico para que pueda vivir un huido, un fuera de la ley.

—Los fuera de la ley no son solamente los que viven aislados y en constante huida, tú lo sabes.

—¡No sé a qué te refieres!

—¡Lo digo por mi tío John, yo le conozco bien!

—¡Ah! Creí...

—¿Que me refería a ti...? Es muy posible que fuera justo al hacerlo, pero como he dicho antes, repito nuevamente, que, si es así, no me preocupas.

—¿Y si yo te dijera que tú también eres un huido?

—No me enfadaría como tú, porque es cierto.

—¡Eh...!

—Sí. Me he escapado de la cárcel de Las Vegas. Lo hicimos dos. Tuvimos que separarnos en Baulder City. Allí robé el caballo que llevo. Crucé el Colorado y después de muchos días llegué a Phoenix, donde embarqué con mi caballo en el tren. Iban persiguiéndome desde Seligman, donde me conocieron cuando estaba en un bar. Ya ves... ¡Yo me fío de ti!

—Puedes fiarte. Además, no creo nada de esa historia Ni me interesa. Yo tampoco me dejo engañar.

—Estamos hablando con tranquilidad, pero no te autoriza a insultarme.

—Me has dicho lo mismo y no me he considerado ofendido.

—¿Por qué no crees lo que he contado?

—Porque hueles a agente a muchas millas de distancia. Pierdes por completo el tiempo en mi rancho. No me dedico a robar ganado y estamos lejos de la divisoria con México para que sea por aquí por donde pasan las armas que sin duda buscas.

Eddy se echó a reír casi con estruendo durante unos minutos, diciendo al fin:

—Si te oyeran algunos, morirían de hilaridad. ¡Yo agente! ¡No deja de tener gracia...! Si lo fuera, ¿crees que no encontraría pruebas contra lo que estés haciendo? Por fortuna para ti no lo soy. ¡Queda tranquilo!

—¡No pienso contradecirte...! Creo que podría ayudarte en lo que buscas. Sospecho de algunas personas.

—No me interesa. Puedes ir a decírselo a las patrullas del desierto.

—Ya lo hice y no me creen.

—No daría por tu piel dos centavos si llega a conocimiento de ellos que les delatas.

—Ni yo por la tuya si saben que ha venido un nuevo agente a esta región. ¿Sabías que todos los otros llegados anteriormente quedaron para siempre por aquí?

—Si fuera yo una de las piezas codiciadas, también sabría recibirles.

—¿Por qué has huido hasta tan lejos?

—Vengo en busca de mi tío al que no veo hace varios años, y a reunirme con Will. Estuvo en la prisión de Las Vegas con un amigo mío. El me dio su dirección. Creo que es un muchacho en el que se puede confiar.

—El sheriff no se fía mucho de él. Bueno... No se

fía nada. Cree que está de acuerdo con Jerónimo, el jefe chiricahua que está escondido en la región de la montaña Sugarloaf.

—Esos indios en concreto, no creo que entablen la menor conversación con un blanco. Son los últimos restos rebeldes de los apaches. Nos odian.

—No hay medio de someterlos. Ni soldados ni nadie les obliga a ello. La región que ocupan es extraordinaria para la lucha a su estilo, de sorpresas y traiciones. Jerónimo debe ser un hombre muy astuto.

—Y Will, ¿qué tiene que ver con ellos?

—El sheriff dice que se cree que por conducto de estos indios entran las armas en México. Esos renegados salvajes, están armados con buenos y modernos rifles. Creo que he oído comentar, que son iguales o mejores que los que usan los soldados.

—¿Quién les enseñó a manejarlos?

—Los indios hace muchos años que conocen los rifles y los utilizan muy bien.

—¿Con cuántos hombres cuenta Jerónimo?

—No se sabe. Pero no hay una diligencia, un rancho y hasta una ciudad que se salve de sus ataques. Tamacacuri ha sido destruida dos veces. Wihox, Douglas y Cochise también han sentido el galopar de sus caballos, que previamente han sido robados a los colonos. Han sembrado la muerte y la desolación.

—Y los soldados, ¿qué hacen?

—Hay un destacamento en Benson, pero cada vez que intentan algo les cuesta muchas bajas. Se teme que haya bastantes blancos con ellos aprovechándose de la crueldad de los chiricahuas.

—Eso si que a mi me parece casi imposible. No creo que ellos admitan a ningún blanco con ellos.

—Pues Bradley es amigo de Jerónimo.

—Si es así, ¿por qué no le han detenido? No creo una palabra de todo esto. Y me están entrando deseos de ir hasta esa región. A los indios hay que combatirles con sus propias armas, que son la audacia y la astucia. Si se va de frente, es ir en busca de una muerte cierta.

—Muy bien. Procura que te destinen hacia allá y déjanos tranquilos a nosotros. Aquí no vas a descubrir nada que te interese. Recorre todo mi ganado. No hallarás una sola marca que no sea la mía.

—No me gusta que insistas diciendo que soy agente. Terminarás por disgustarme.

—Entonces será mucho mejor que no hablemos de estas cosas. No nos pondríamos de acuerdo, aunque me agradaría mucho más que fueras, en efecto, agente y no lo que dices ser. Siendo agente, mis hombres te respetarían, pero de otro modo, como no te marches pronto de Tucson, lo vas a pasar mal.

—¿Qué les he hecho?

—Has herido a Leo, demostrando una habilidad y una rapidez peligrosas. Contigo está justificado el ataque en grupo y ellos desean vengar a su amigo. Hasta ahora les he contenido yo.

—¿Por simpatía hacia mí o porque crees de veras que soy un agente y temes las consecuencias?

—Las dos cosas a la vez. Me agradan los muchachos decididos y tú lo eres, y soy respetuoso con los encargados de velar por el orden. Soy propietario de mi rancho y tal vez necesite algún día de los servicios de esos misteriosos delegados del orden.

—Pues cuando quieras, puedes decirles que te equivocaste y que están en libertad de hacer conmigo lo que se les antoje; pero no me culpes si te dejo sin personal y presumo que no sea muy sencillo encontrar otros hombres como éstos, ¿verdad?

—Estoy, desde luego, contento con ellos.

—Lo imaginaba.

Poco después, salieron del local y montaron a caballo. Tanto el rancho de Austin como el del tío del forastero, estaban situados por la misma zona por lo que parte del recorrido era el mismo.

Austin comentó:

—Ese caballo, a pesar de su tipo, parece fuerte.

—Lo es. Me he visto en la necesidad de someterlo

a pruebas durísimas, saliendo victorioso de ellas.

Pasaron por delante de un saloon, Austin le preguntó:

—¿Aceptas ahora un whisky?

—No porque no acostumbro a beber alcohol. Puedo tomar un refresco.

—¿Os lo prohíben las ordenanzas?

—Veo que insistes en la idea, lo que indica que una de las cosas que más te preocupan es la visita de incógnito de uno de esos agentes, con los que sueñas.

Se encontraban cerca de la Speedway Avenue que conducía hasta el centro de Tucson. Los caballos iban tranquilos; al paso.

Un jinete que se cruzó con ellos detuvo su montura y gritó:

—¡Por los coyotes del desierto...! ¡Si es Eddy Christy! ¿Cuándo es...?

Eddy se fijó en el jinete y con una sonrisa, replicó:

—¿Qué haces por aquí, Nopperling...? Te imaginaba andando por el norte. Era, según tú, la máxima aspiración de tu vida de preso.

—Estoy trabajando en Benson. No debieras recordarme lo que he sido. Puede ser peligroso.

—No te preocupes. Es un amigo mío y sabe que me escapé de la prisión de Las Vegas. Llevo detrás de mí al ayudante del sheriff, el Pecoso. No ha descansado hace veinte días y tiene un buen olfato para rastrear. Creo que le despisté en Phoenix.

—No te fíes mucho. ¡Ah! Si quieres puedo encontrarte trabajo en el rancho donde estoy. Míster Morris posee una gran ganadería.

—¿Estás con John Morris...? Precisamente, yo me dirijo hacia allá. ¿No sabías que es tío mío John Morris?

—¿Tío tuyo...? ¡Qué suerte...! ¿Has cambiado de idea en lo del whisky?

—No.

—Entonces, ven conmigo y toma un refresco. Volveré otra vez al pueblo.

—¿Adónde ibas ahora?

—Al rancho Converse. He venido en busca de unos caballos. Ya me oíste decir en Las Vegas que soy el mejor jinete de la Unión. Tu tío, míster Morris, ha pensado como yo. Soy el que prueba los caballos nuevos. Va a haber carreras en Benson dentro de un mes, y corremos con algunos del Converse. Dicen que son muy potentes y rápidos.

—Lo son —intervino Austin—. Claud posee los mejores caballos de la región.

—Ese caballo que montas parece fuerte también.

—Ya lo creo. Si estoy en Benson cuando las carreras no habrá caballo que pueda con nosotros.

—¡Eso, si pesaras algo menos!

Eddy observó lo turbado que estaba Austin y cómo observaba a Nopperling.

—Yo invito a whisky —dijo Austin.

—Lo siento mucho, amigo, pero fui yo quien invitó primero —protestó Nopperling.

—¡Está bien! ¡Acepto!

Desde este momento cambió la actitud de Austin con Eddy, terminando por preguntar a Nopperling:

—¿También escapaste de la cárcel?

—No. Yo cumplí el arresto que me impuso aquel estúpido sheriff. ¡Debí matarle cuando salí...! A ti quería llevarte ante el tribunal. ¿Lo hizo por fin? —Dijo a Eddy.

—Sí. Y me condenaron a doce años. Por eso me escapé antes de que me trasladaran a la isla de San Francisco. De allí no ha salido nadie antes de cumplir la condena.

—¿Hace mucho que no ves a tu tío John Morris?

—Cuando me encuentre con él será la primera vez que lo vea. Era hermano de mi madre. Supe de él cuando murió ésta. No me acordaba de él hasta no estar en la cárcel, donde, como sabes, hay tiempo para pensar en todo. Ella decía que era hombre sin escrúpulos y que llegaría a hacerse muy rico. Cometió varias estafas en Indianápolis, teniendo que huir. Estuvo en San Luis, en Kansas City, y de aquí pasó a Denver, después a Santa Fe. Allí lo creía mi madre al morir. Por un amigo de los dos, he sabido que vivía en Benson y que posee un hermoso rancho. Debe ser un hombre que no titubea nunca cuando se trata de conseguir algo.

—Es muy respetado en Benson. Será el nuevo sheriff en las próximas elecciones. Al actual no le aprecia nadie. Tiene unos conceptos tan rígidos de la vida que no deja vivir a nadie con tranquilidad. Sueña con cuatreros y contrabandistas. Pero lo mejor de todo, Eddy, es su hija. ¡Es maravillosa! Es la mujer más bonita de todo el sudoeste. Su rostro es tan blanco y suave como la flor del saguaro, y tiene unos labios preciosos. Esbelta como un pino joven. Su perfume es tan intenso y agradable como el de la rosa y la mimosa.

—Nopperling, veo que sigues tan poeta como siempre con las descripciones.

—Pero es demasiado arisca y cuando su rostro se enciende por el genio hay que temblar, ya que sus manos, tan amarillas como la flor del palo verde, más rápidas que el viento, empuñan con serenidad las armas, que dispara a los pies para obligarte a huir.

—Es entonces lo que yo diría, una fierecilla.

—Lo es. Sólo por ella puede estarse en el rancho.

—Ya, y supongo que también, por tener asegurada una buena comida. Este amigo es propietario de un rancho magnífico aquí. Se llama Austin.

—¡Ah, Austin...! Ahora recuerdo que traigo un encargo para él. ¿Es usted?

—Yo soy.

—Míster Morris le comunica que todo llegó bien. Usted sabrá a qué se refiere.

—Lo sé; gracias.

Eddy sonreía cuando Austin le miró, pero no le dijo nada. Hablaron los dos amigos solamente y al llegar a la puerta del saloon, fue Nopperling el primero en desmontar, amarrando el animal a la barra.

Austin, dijo a Eddy:

—¡Debes tener cuidado! ¡Están mis muchachos dentro! Aunque yendo conmigo no creo que te suceda nada.

—No les contengas, si es que no te preocupa perder unos cuantos.

—Eres un fanfarrón, muchacho. Creo que una buena lección no te estaría mal.

Austin, incomodado, fue el primero en entrar en el local. Le siguieron los otros dos. Eddy vio a Phil al frente de un grupo de vaqueros que se le quedaron mirando al entrar.

Nopperling se dio cuenta en el acto de la tensión existente y dijo por lo bajo a Eddy:

—¡No temas...! ¡Somos dos!

Una sonrisa de gratitud llenó el rostro de Eddy al replicar:

—¡Creí que podría marchar de aquí sin matar a nadie!

—¡Patrón! —Dijo Phil—. Leo se encuentra muy mal a consecuencia de las heridas que le produjo este ventajista y hemos acordado entre nosotros que debe ser expulsado de este pueblo o, de lo contrario, será colgado del árbol más fuerte que...

Eddy, abriendo las piernas al hablar y con las manos apoyadas en las culatas de sus armas, en tono grave, preguntó:

—¿Y quién ha decidido eso?

Este gesto y actitud sorprendieron totalmente a Phil que, nervioso, pasó la lengua por los resecos labios. Había presenciado la manera de sacar de Eddy frente a Leo y la seguridad con que hizo los dos disparos. Los vaqueros que le acompañaban quedaron en suspenso y un poco acobardados. Acababan de acordar cuando le vieron venir hacia el saloon que no le dejarían adelantarse porque sabían que era superior a ellos.

—Lo hemos decidido nosotros —dijo, por fin, Phil.

—¿Se lo habéis comunicado al sheriff?

—¡No! Es cuestión nuestra, exclusivamente.

Phil se había serenado al pensar que Eddy no sería tan loco como para enfrentarse con todos, por mucha rapidez que poseyera, pero su serenidad se desvaneció rápidamente al fijarse en Nopperling, cuya actitud no ofrecía la menor duda. Se había colocado estratégicamente, de modo que les cogía de flanco. También apoyaba sus manos en las culatas de las armas. No existía inferioridad, pues si en número les superaban, no en iniciativa, y ésta era básica en tales circunstancias.

Austin intervino, diciendo:

—¡No debéis pelear...! Todos vimos que no hubo ventaja en la pelea con Leo. Fue más rápido que él. Pudo matarle y no lo hizo. Muchachos, no hay por qué guardar ese rencor.

Eddy comprendió que estas frases estaban saturadas de odio hacia él y llenas de censura hacia sus hombres por no haber sabido aprovechar las circunstancias como era debido. Pensó que posiblemente no habría querido que lo matasen, pero sí que le hubieran dado, como poco antes, una lección. Por eso le disgustaba que llevara él ventaja sobre sus hombres.

—Agradecería esos deseos si fueran tus hombres los que estuvieran preparados, pero no siendo así no los agradezco. Darías parte de tu hacienda por que fuera yo el que estuviera como ellos, lejos las manos de las armas y yo soy de los que no pierden mucho tiempo en disparar. Esta vez lo haré al corazón, no perderé oportunidad como con Leo.

—¡Creo que debiéramos terminar cuanto antes, Eddy! Me estoy cansando de vigilarles. ¡Levantad las manos!

Las armas aparecieron como por arte de magia para los vaqueros de Austin, en las manos de Eddy.

Con tanta rapidez fue obedecido por los hombres de Austin, que éste se mordió los labios con furor.

—¡Desármales, Nopperling!

En pocos segundos fue cumplimentada la orden.

—Ahora yo he decidido hacer con vosotros lo que vosotros ibais a hacer conmigo. ¡Nopperling! Ayúdame a expulsar a estos muchachos del pueblo.

—¡Les echaremos a latigazos! Aunque yo les colgaría. Si los dejas con vida, puedes encontrarles en cualquier sitio y si es así, dispararán por la espalda. Son todos ellos unos cobardes.

—No me gusta lo que dices. ¡No es de valientes insultar a quien está indefenso! —Casi gritó Austin.

—¡Mucho cuidado, con lo que dice...! ¡Por que yo no tengo la paciencia de Eddy!

Austin sintió miedo. Aquellos fríos ojos de Nopperling se clavaron en los suyos y los sentía dentro de sí.

—¡Vamos! ¡Vamos!... ¡A la calle todos! —Gritó Eddy—. ¡Podéis bajar las manos!

Inmediatamente, sin la menor protesta obedecieron todos. Eran seis en total.

—¡Será mejor que levante las manos, patrón, y se deje desarmar! ¡No quiero darle la espalda sabiendo que está armado! —Dijo Nopperling a Austin.

Eddy sonreía observando el rostro de Austin.

Capítulo 3

Nopperling, al tiempo de hablar, encañonando a Austin, le sacó las armas de las fundas.

—No creo que esto sea un acto muy valeroso —protestó Austin.

Eddy, contestó:

—Entiendo poco de esas cosas, pero creo que lo que tenían preparado sus hombres no se le podría llamar otra cosa que cobardía. ¡Pero, se han equivocado!

Austin, intentando que los dos amigos se calmasen, dirigiéndose a sus hombres, comentó:

—Yo no era partidario de esto. Haced lo que os digan. Nopperling no se deja sorprender y Eddy ya habéis visto que es como el rayo.

Eddy, con tono tranquilo, aclaró:

—Lo siento, porque creo que te vamos a dejar sin estos vaqueros. Si vuelven al pueblo, y estaré todavía unos días aquí, les echaré con plomo en el vientre. Parece que es el único lenguaje que muchos entienden.

Austin observó lo cambiado que estaba Eddy, y sintió miedo a insistir en sus protestas.

Sería mejor dejar que se desarrollasen las cosas. Los vaqueros, a pesar de cuanto hablase Eddy, volverían a su rancho y de allí no tardarían en desear el desquite buscando a Eddy donde se encontrará.

Eddy empujó a los vaqueros, ayudado por Nopperling, que añadió:

—Será preferible que éste nos acompañe. No me fío de él para dejarlo aquí. Cualquiera de éstos, que le temen, puede dejarle unas armas.

Comprendió Eddy que tenía mucha razón. Austin se encontraba molesto, más aún, furioso, por todo lo sucedido ante los que estaban acostumbrados a temblar con su presencia. Y eso no podía perdonarlo. Nunca lo olvidaría. Se alegró de que fuese Nopperling quien pensara en esa conveniencia.

—No creo capaz a Austin de disparar por la espalda. Es un delito que en el Oeste se castiga siempre con la cuerda —dijo sonriente.

Austin no respondió. No podría haberlo hecho de furioso que estaba. Sobre todo, cuando Nopperling le empujó por la espalda, diciendo:

—¡Anda! ¡Sal tú también!

El rostro de Austin se congestionó, pero no dijo una palabra.

Eddy comprendió que acababan de dar un mal paso. Tucson sería un lugar poco conveniente para ellos, pero, no quería abandonar a Nopperling en su idea.

Una vez en la calle, dijo Nopperling a los obedientes y furiosos vaqueros:

—Os llevaremos hasta el bosque de saguaros. ¡Montad a caballo! Y no olvidéis que el menor intento de traición supondrá la muerte para el autor. Durante el camino sólo las lenguas de plomo tienen la palabra.

Nadie respondió y todos montaron a caballo, pero uno de los vaqueros miró de reojo y vio lejos de él a Eddy, que había enfundado sus armas. Nopperling, a pocas yardas, también enfundaba el arsenal. Una vez sobre el caballo, este vaquero hizo encabritarse al animal y de no andar rápido y con vista Eddy habría sido destrozado por los cascos del caballo.

Lo sucedido a este vaquero hizo que los demás no intentaran nada y se comportaran con tacto para evitar una mala interpretación.

Dos veces disparó Eddy. En la primera mató al caballo, el segundo disparo deshizo la frente del jinete, al tiempo que decía:

—¡Espero que esto sirva de lección a los demás!

Los que veían pasar a los jinetes ignoraban lo que sucedía, ya que los vaqueros delante de Nopperling y Eddy caminaban como si fueran de paseo.

Cuando llegaron al límite de la Speedway Avenue, dijo Nopperling:

—Ahí enfrente está el bosque de cactus. Este es el límite a que podéis acercaros estando nosotros aquí. Si os encontramos dentro de este recinto, dispararemos a matar. Y ahora, ¡podéis galopar!

Los vaqueros, que deseaban alejarse de ellos, no se hicieron repetir la orden y segundos después, una extensa nube de polvo se alejaba hacia la región de los saguaros, los gigantescos cactus del desierto.

Luego con tono irónico, Eddy, dijo a Austin:

—Tú también puedes marcharte. ¡Es la lección que pedías para mí! Nosotros vamos a regresar.

En el camino de regreso, Eddy, dijo a su amigo:

—No creas que esos vaqueros van a alejarse de este pueblo. No tardarán ni dos horas en buscarnos por Tucson y en cuanto nos descubran, dispararán sin previo aviso. Lo harán por la espalda.

—Tengo una idea. Puedes acompañarme hasta Tanque Verde. Recogemos allí esos caballos y los embarcamos aquí. Después no tendremos ni un descuido las horas que estemos aquí. Estaremos siempre vigilantes.

—No. Te esperaré. No quiero que imaginen que

huyo de ellos. Si me obligan, mataré unos cuantos.

—No conviene en esta zona aparecer como un gunman. Hay mucho agente mezclado entre los vaqueros por el asunto de las armas con México. Es preferible alejarse de momento. Te diré en confianza que tu tío teme a Austin, porque imagina que esta al servicio de los federales.

—¿Austin...? ¡No es posible!

—Pues yo sé que teme eso.

—No lo comprendo.

Y Eddy se quedó muy pensativo recordando cuanto hablara Austin con él.

—Entonces, ¿serán agentes sus vaqueros?

—Es muy posible.

—Si fuera así, nuestra situación sería verdaderamente difícil. Dicen que los agentes, si rastrean a alguien, lo siguen sin descanso.

—¡Eddy! ¿Es cierto que eres sobrino de Morris?

—¿Por qué me lo preguntas?

—Porque no creo en ese parentesco.

—Pues soy sobrino suyo. No me conoce ni yo a él, pero soy pariente, si es el Morris que estuvo en Denver y que procede de Indianápolis.

—No le conozco, ni me interesa nada de su pasado y será mejor no le hables de ello hasta que no esté seguro de que eres su sobrino. ¡No he conocido persona más cruel ni más astuta...! Si no te decides a acompañarme hasta Tanque Verde, iré yo solo. Nos veremos otra vez aquí. Iré al mismo saloon cuando vuelva.

—Si para entonces me han eliminado ya, dile a mi tío que me habría gustado conocerle.

A continuación, se despidieron.

Eddy regresó a Tucson, yendo al saloon de donde salieran poco antes. Joseph se le quedó mirando como si fuera un fantasma.

—¡Muchacho! Eso que haces es una locura —dijo a su lado un vaquero—. Habéis humillado a Austin y no os lo perdonará. Acaba de pasar por aquí. No tardará en regresar de su rancho, paralelo al ferrocarril que viene de Nogales. Si te sorprenden aquí, dispararán tan pronto te vean. Ni el mismo sheriff se habría atrevido a tanto. ¡Márchate de aquí!

—No. Me iré cuando me interese hacerlo. No porque Austin tenga asustado a este pueblo va a asustarme también a mí.

—No creas que los hombres que vivimos aquí no sabemos lo que es manejar un revólver llegado el momento, pero Austin y sus hombres son...

—Procura no hablar mucho, viejo —interrumpió Joseph, haciendo señas al vaquero por otros cowboys que había dentro.

—No insulto a Austin. Estoy diciendo que él y sus hombres con armas en las manos son lo que no es posible concebir. Si no les sorprendéis no habríais conseguido jamás lo que habéis hecho.

Uno de aquellos cowboys se acercó al mostrador y dijo, mirando al vaquero que hablaba:

—Cuando Austin sepa lo que hablas de él no habrá lugar seguro para ti.

—No le he insultado. Sólo he dicho...

—No lo repitas. Lo he oído muy bien. Has indicado a este muchacho que se marche para que escape del justo castigo de lo que hizo por sorpresa. De otro modo no podría haberlo realizado.

Eddy, con su eterna sonrisa, contemplaba al vaquero, temeroso de una sorpresa por su parte, pero éste no hizo el menor movimiento que supusiera peligro para Eddy.

—Yo no he traicionado ni acostumbro jamás a hacerlo —dijo Eddy—. Están ustedes asustados de unas condiciones que no existen nada más que en la imaginación de los débiles. Los que estamos acostumbrados a esas lenguas de plomo, no nos dejamos sorprender.

—No me interesan las causas por las cuales deseas no vivir más, pero deben existir y, muy poderosas, para regresar a este saloon, después de lo sucedido.

—Lo sucedido volverá a repetirse si es que Austin se atreve a volver, sabiendo que yo le espero.

—¡Este muchacho tiene razón! —Medió un tercero—. Te juego diez dólares a que si viene será vencido por éste.

—Muy bien. ¡Acepto la apuesta...! Deposita el dinero en manos de Joseph.

Eddy quedó asombrado de la naturalidad con que jugaban dinero sobre su muerte posible frente a Austin, pero tomándolo en sentido humorístico, dijo:

—¡Eh...! Yo también juego. Como no poseo los diez dólares, mi caballo responde de ellos.

Ahora fueron los otros los sorprendidos. Joseph cada vez estaba más sorprendido, encogiéndose al fin de hombros.

—Pero la apuesta sólo tiene vigor frente a Austin. Sus hombres no.

De repente, las conversaciones cesaron y todas las miradas gravitaban sobre la puerta de entrada.

Él también miró en esa dirección.

Vio que bastante lentamente avanzaba un hombre, todavía joven. Iba vestido de vaquero. Tenía la piel completamente ennegrecida por el sol.

Eddy le contempló como los demás, sorprendido de aquel silencio y preocupado por si era alguno de los hombres de Austin.

—¡Un doble de whisky, pero con mucha soda! ¡Estoy realmente sediento!

—En este tiempo ha de ser insoportable vivir en esos montes desérticos. No hay un solo árbol —dijo Joseph.

—Ni una simple hierba. ¡Es horrible...! Ahora vivo entre los cactus, que me dan bastante sombra.

—¿No hubo suerte en la caza?

—No.... Nada. A partir de ahora, me trasladaré hacia las montañas chiricahuas.

—Jerónimo no te dejará acercarte. Es un peligro toda aquella zona. Hace unos cuantos días llegaron hasta Tumacacuri y atacaron el frente Huachuca. ¡Estos apaches son verdaderos asesinos sanguinarios!

Uno de los presentes, dijo:

—Yo creo que no están solos. Debe de haber algún renegado blanco entre ellos que les orienta de como hacer ciertas cosas.

Eddy, que escuchó atento, medió en la conversación, preguntando:

—¿No serás por casualidad Will Bradley, el amigo de Tom Boswell?

—Yo soy Will Bradley, pero no soy amigo de Tom Boswell. No conozco a nadie que se llame así.

El ceño de Bradley se frunció intensamente, al tiempo que miraba con fijeza a Eddy.

—¡Si estuviera más cerca de Las Vegas, volvería a tirar de las orejas a ese embustero! Me ha hecho viajar mucho, inútilmente. De todos modos, la casualidad me ha evitado tener que ir hasta ese bosque de cactus, detrás del que dicen están los montes de Tanque Verde. Y es posible que no hubiera sido bien recibido allí.

—¡Posiblemente!

—¡Maldito Tom! Cuando le vea le daré yo correrías por la Cordillera Negra y el río Pecos.

Bradley se echó a reír, diciendo:

—¡No te engañó, muchacho...! ¡Al principio, no he recordado su apellido! ¿Qué es de Tom...? ¡Me he acordado mucho de él!

—Quedó en Las Vegas hace un mes.

—¿Tomas whisky?

—No; no bebo nunca alcohol, me enloquece; prefiero cerveza floja o un refresco.

—¡Háblame de Tom!

Los vaqueros miraban a Joseph y éste a ellos. La amistad o al menos, el conocimiento con Bradley era algo que llamaba mucho la atención de aquellos hombres.

En ese momento, Eddy se quedo callado y muy atento. Estaba mirando con mucho disimulo a la persona que acababa de entrar. Dijo a su acompañante:

—¡Lo siento, Bradley! No puedo distraerme ahora. Ese que esta entrando, estoy seguro de que trae una misión para mí. Le he visto mirar desde la puerta antes de entrar. Hay alguien en la calle.

—¡Yo me ocuparé de él!

—¡No! Es un asunto mío, y peligroso.

—Hace tiempo que no me sucede nada

interesante. Es desesperante esta monotonía a quien como yo está acostumbrado a la vida agitada de constantes aventuras. Esta calma no es para mí.

Eddy escuchaba a Will sin mirarle. Estaba pendiente del vaquero que entraba y que se acercó a él con decisión, diciéndole al tiempo de arrimarse al mostrador:

—¡El sheriff quiere verte enseguida! ¡Está esperándote en la calle!

Eddy, que esperaba todo menos esto, sorprendido, no supo casi reaccionar.

—¿El sheriff...? —Preguntó instintivamente.

—¡Sí...! No quiere entrar aquí donde hay tantos amigos de Austin.

Estas palabras decidieron a Eddy.

Como el recién entrado había hablado en voz muy baja, Eddy explicó en igual forma a Bradley lo que sucedía, sorprendiendo ahora al vaquero al comprobar éste que se hablaban como amigos Bradley y el forastero.

Bradley, en el mismo bajo tono, le contestó:

—No debieras fiarte. He visto a este muchacho en este mismo saloon con Austin.

—Vigílale bien. Fingiré que me ha engañado.

—Vete tranquilo.

—¡Entonces me esperas aquí! —Dijo en voz alta Eddy a Bradley—. No creo que me entretenga mucho. Tenemos de hablar de Tom.

—Sí. Tienes que decirme muchas cosas de ese viejo perillán.

—¿Vamos...? —Dijo Eddy al que decía ser el emisario del sheriff.

—¡Vamos...!

Con gran sorpresa de Eddy y del mismo Bradley, el vaquero se unió a Eddy. Pero unos segundos antes de ellos un vaquero de los que habían estado sentados en las mesas, se levantó y salió a la calle. Al empujar las hojas giratorias de la puerta, dos disparos realizados desde la calle dieron con él en tierra, quedando sin vida dentro del local.

Rápidamente, comprendió Eddy cuál era la trampa. Creyeron los que esperaban en la calle que era él quien salía y dispararon.

Con la rapidez característica en él, empuñó sus armas y con ellas junto al pecho del vaquero emisario le dijo:

—Acércate a la puerta y llama a tus amigos, pero piensa en lo que te sucederá si intentas una traición.

El asustado vaquero no pensó en que no se salvaría de ningún modo, pero como el deseo de vivir a veces ofusca los sentidos, exclamó:

—¡No me mates! Yo tenía que obedecer.

Eddy le explicó al asustado emisario lo que tenía que decir. Este estuvo de acuerdo.

—¡Vamos...! Asómate y llámalos, entrando en seguida. ¡Será mejor que lo hagas así!

Bradley al decir esto quitó las armas al emisario. Este, en su afán de congraciarse con Eddy, salió a la puerta y empezó a llamar:

—¡Holmes! ¡Riger! ¡Ya está! ¡Habéis hecho un buen trabajo! ¡Esta muerto...!

Entró sin esperar más.

A los pocos minutos entraban juntos los dos vaqueros, que, al verse encañonados por aquellas armas, miraron a su compañero con un odio imposible de describir.

—¡Más altas esas manos! —Gritó Bradley.

—Os vamos a colgar a los tres.

—¡Pero no aquí, muchachos...! Prefiero adornar los brazos arrogantes y espinosos de los saguaros. Ahora, les desarmaré y, atados las manos a la espalda, irán a caballo hasta allí —dijo Bradley—. De paso conocerás aquello. Te gustará, estoy seguro.

—¡Yo, de momento, he ganado veinte dólares! —Dijo Eddy a Joseph.

Intervino el vaquero que apostó contra Eddy, diciendo:

—¡No...! La condición era con Austin en persona.

—¡Está bien...! ¡Volveré para ganarlos! ¡Vamos...! ¡No es necesario atarles! Mis armas son mucho más rápidas que sus caballos.

La pasividad de los espectadores al marchar

con los detenidos se explicaba por el odio que sentían hacia todo lo que tenía que ver con Austin.

Vigilados por Bradley y Eddy, montaron a caballo los tres vaqueros y Eddy sonreía al pensar que por segunda vez en poco tiempo hacía ese recorrido llevando a hombres de Austin. En esta ocasión, estos serían colgados en los gigantescos cactus. Will Bradley parecía un hombre duro. No habría perdón para ellos.

Durante el camino Eddy habló a Will de Tom, confesándole que había quedado en la prisión, pero como su condena era muy corta, tardaría muy poco en salir. Tal vez viniera en busca de su amigo.

Will expresó su asombro de que Tom pudiera saber dónde se encontraba él, ya que desde que se separaron no volvieron a saber el uno del otro y él no había visto en mucho tiempo a ningún conocido de los dos.

—Pues él sabe que viniste huyendo de la frontera por el asunto de las armas. Me dijo que estarías aquí o si no, con Jerónimo, el apache chiricahua, al que ayudasteis en otra ocasión a cambio de un buen cargamento de pieles y cosas valiosas.

—Veo que merecías la confianza de Tom para decirte todas esas cosas. Iba a marcharme hacia donde está escondido Jerónimo. Yo soy el único blanco que puede entrar en aquellas montañas. Solamente confía en mi. Si quieres puedes venir conmigo.

—No me atrevo, Will. No me fío de los indios.

—Hay que saberles tratar. Jerónimo es un gran jefe. Hay que repetírselo muchas veces y no tienes nada que temer. Si pones en duda sus planes y sus condiciones de general, eres hombre muerto.

—¿Se dedican ellos al asunto de las armas?

Bradley miró a Eddy con el ceño fruncido y no respondió, separándose de él como si hubiera sido a causa de un extraño movimiento que hizo el animal.

Eddy no comprendió que acababa de nacer en Will una gran desconfianza.

Al llegar al principio del bosque de los

gigantescos cactus, comprendiendo lo que les esperaba, los tres jinetes picaron espuelas y trataron de huir algo amparados por aquellos árboles tan extraños, que siempre estaban cubiertos de terribles púas.

Fue Eddy quien, con una seguridad que admiró a Will, terminó con los tres.

Will se le quedó mirando atentamente, alejando de sí aquellas dudas que empezaban a tejer una desconfianza natural hacia Eddy.

Capítulo 4

Will, preguntó a Eddy:

—¿Enterramos a éstos?

—Es mejor que lo hagamos, pero no tenemos con qué hacerlo.

—Mi refugio no está lejos. Allí tengo herramientas.

—De acuerdo. ¡Vamos a buscarlos!

—Lo hemos hacer lo más rápidamente posible, porque si no, mañana encontraríamos los huesos que estarán, completamente limpios.

—Pero, si aquí...

—Alrededor de este bosque de cactus, hay muchos animales a los que se les llama sepultureros. Son como escarabajos grandes, cuya voracidad carnívora es muy difícil de creer quienes no les hayan visto trabajar. Tan pronto como existe la menor putrefacción con su característico olor, esos voraces animales, acudirían por millares y, en pocas horas, no quedaría otra cosa que un esqueleto perfectamente limpio. ¡Son terribles!

—En ese caso, será un peligro dormir aquí.

—No. Sólo atacan a los muertos. Con los vivos no quieren saber nada.

—Pero si les enterramos, ¿crees que les libraremos de ellos? Supongo que escarbarán.

—Ya lo sé, pero al menos no veremos el efecto trágico que supone ese terrible espectáculo. Aunque estos cobardes merecían morir, a pesar de ello, prefiero darles sepultura. Siento respeto hacia los muertos.

—No hablemos más. Vayamos a tu refugio en busca de las herramientas.

Mientras iban cabalgando, Eddy iba pensando por qué un cazador se ocultaría en aquella zona en la que eran muy raros los animales. Solamente el coyote podría ocuparlo como cuartel general después de su pillaje, algún conejo y las ardillas; pieles todas de poco valor y existentes en poca cantidad.

Quedó íntimamente convencido de que no era la caza lo que tenía a Will recluido en aquel horno.

En la ladera de la montaña más próxima después de la zona de saguaros había excavado Will una especie de cueva de la que sacó una pala y un pico.

Intrigado Eddy, entró en el refugio, que no podía ser más sencillo. Constaba de una habitación de tres metros de alto y tres de fondo por dos y medio de ancho, en la que tenía unas mantas y a veces debía estar dentro con él el caballo. Utensilios de cocina y algunos víveres colgados de la pared.

La temperatura dentro del refugio resultaba agradable si se cerraba la puerta doble. Tenía dos hojas, una de tela metálica muy fina, y otra de madera. La primera, era para evitar la entrada de insectos y de los mismos necróforos que acudían rápidamente al olor de la carne salada y del tocino.

Confesó Will que una vez que faltó varias semanas, entraron en el refugio por la vía subterránea, burlando las sólidas piedras que colocó en el zócalo de la entrada en previsión de que lograran entrar.

Pero un día descubrió que a esos animales no les gustaba el olor de la resina. Esto le dio la solución. Colocó a la entrada de su refugio de modo estratégico unos trozos de resina y no volvieron a aparecer los necróforos.

Poco después, montaron nuevamente a caballo. Uno de ellos, llevó la pala y el otro el pico.

Una vez de enterrar a los tres, pusieron junto a los cadáveres de los vaqueros un poco de resina.

De este modo los necróforos tardarían mucho tiempo en acometer los despojos.

Una vez terminado el trabajo, dijo Will:

—¿Y ahora, qué piensas hacer? ¿Vas a volver a Tucson? Austin tiene motivos sobrados para odiarte y no debes desdeñarle. Es enemigo peligroso.

—No le desdeño en absoluto, pero tampoco le temo nada. Voy a reunirme en Tucson con un viejo conocido de Tom y mío. Ha ido al rancho de un tal Claud en Tanque Verde, en busca de unos caballos para Benson.

—¿Caballos...? ¿Ha venido hasta aquí en busca de caballos? ¡No lo comprendo!

—¿No conoces a ese Claud?

—Sí. Es un ganadero de esta región. Es cierto que tienen fama sus caballos, pero no como para enviar desde Benson a por ellos.

—Es un tío mío quien le envía, Morris.

—He oído hablar de él.

En ese momento, sin poder aguantar más la curiosidad, Eddy, le preguntó:

—¡Will! Por esta zona no hay caza. ¿Por qué motivo estás aquí? ¿Es que estás huyendo de algo?

—Será mucho mejor que vayas a encontrarte con ese amigo. ¡Adiós...!

Will se marchó del lado de Eddy, pero sin darle la espalda del todo.

Eddy no dejaba de pensar en la actitud de Will, durante su regreso a Tucson y, sobre todo, en por qué estaría en un lugar tan extraño un joven que no cazaba y se decía cazador.

A Will le temían en Tucson porque le suponían un gunman. Recordaba todo lo que habló con él y sólo una cosa merodeaba por su imaginación. Había confesado ser el único blanco que podía internarse sin peligro en los montes chiricahuas donde Jerónimo y su banda tenían establecido el estado mayor de sus fuerzas y donde se refugiaban después de cada incursión o ataque a los blancos, cosa esta que solían realizar con demasiada frecuencia y en los que siempre había que lamentar muchas víctimas.

Ya en la cárcel de Las Vegas había oído hablar de este apache chiricahua y tenía deseos de conocerle. Se daba cuenta de que su torpeza, al hablar con Will, había eliminado la única y verdadera oportunidad de conseguir su gran deseo.

Esta amistad con los indios era posible que fuese la causa de su estancia en el bosque de saguaros. Desde aquellas montañas de ocho mil pies podría comunicarse por medio de hogueras con Jerónimo y darse avisos mutuos sobre lo que ellos entendieran.

De lo que estaba seguro era de que Will desaparecía con frecuencia de su refugio en donde le creían en Tucson. Pero ¿cuál sería su rumbo...? Esto era lo que no resultaba nada fácil de imaginar y que a Eddy tanto le habría agradado averiguar.

Al llegar a Tucson y estar cerca del local de Joseph, detuvo la marcha de su caballo obligándole a caminar mucho más despacio. Lo paso al paso. Estaba seguro de que no le imaginarían de regreso, pero era mejor convencerse de que no había peligro.

Sin desmontar, como ya era de noche, se asomó a la ventana de la que salía el rumor de las conversaciones y la música de un piano.

El local estaba lleno, sin ver entre ellos rostro ninguno que le fuera conocido a no ser Joseph y aquel vaquero que hablaba con él y que era el que jugó los diez dólares a su favor en contra de Austin.

Al ver que no estaba Nopperling hizo seguir a su caballo hasta otro almacén-bar que había un poco más adelante, en el cruce con la Broadway Avenue. Austin y sus hombres le buscarían en casa de Joseph, pero antes de llegar pensó en ir a la estación y preguntar si había llegado ya su amigo.

La estación estaba totalmente solitaria, sabiendo por el único empleado que había en ella, que Nopperling no había llegado aún.

No sabía adónde ir a continuación, por el temor a tener que pelear con los hombres de Austin, que debían de estar excitadísimos por la desaparición de sus tres últimos enviados, decidiéndose después de mucho pensar a ir a la oficina del sheriff que tan bien se había portado con él, en la primera y única vez que le vio al querer evitarle encuentro con Austin por considerar a éste mucho más peligroso que Eddy.

No sabía dónde estaba la oficina, pero sería fácil preguntar por ella.

Así lo hizo y al entrar en la oficina y verle el sheriff, se levantó del sillón en que estaba sentado y salió a su encuentro diciendo:

—¡Vaya sorpresa! Creí que te habrías marchado definitivamente después de lo que has hecho últimamente. ¿Que ha pasado con los tres muchachos de Austin?

—¿Eran vaqueros suyos?

—Sí.

—Sheriff, no quiero engañarle. No volverán nunca. Han quedado entre los saguaros.

—Debes marcharte ahora mismo, aprovechando la noche. Has originado muchos problemas a Austin y, sobre todo, lo que no te perdonará nunca es que hayas demostrado que puede haber quien se le enfrente varias veces sin que le haya sucedido la desgracia que todos temen aquí cuando se trata de él.

—¿Por qué temen a Will Bradley?

El sheriff miró a Eddy, haciendo una larga pausa antes de responder:

—Pues no lo sé y, sin embargo, es cierto que se le teme. Tal vez por su carácter poco comunicativo y por la rapidez con que acude a sus armas en los momentos que considera decisivos. Ya sé que has estado con él y parecíais ser amigos.

—Me aleje de él, poco después de conocerle. Es amigo de un amigo mío.

—Que está en la prisión de Las Vegas, ¿no?

—Así es. No me agrada mentir, sheriff. Será preferible que no le responda a más preguntas...

—Tú también estuviste allí y te escapaste. En Phoenix embarcaste ocultamente con tu caballo, que es robado. Lo robaste en Baulder City...

—¡Se lo ha dicho Austin!

—¡No...! Está en esta ciudad un viejo amigo tuyo. El ayudante del sheriff de Las Vegas.

—¡El Pecoso...!

—Sí. Creo que le llaman así. Te busca por todos los establecimientos. Va acompañado de dos muchachos que parecen decididos.

—Gracias, sheriff. Se lo agradezco mucho. Pero no comprendo su ayuda. Su deber...

—Sí, tal vez fuera detenerte, pero no me atrevo. No porque te tema, sino porque yo tengo un hijo que tendrá tu edad, poco más o menos y que, como tú, anda huido por ahí. Se vio obligado a matar a un sheriff que se obstinó en culparle de delitos que no había cometido. Pensando en él, me he puesto a tu lado, pero debes alejarte de aquí lo más rápidamente posible.

—¡Así lo haré!

En ese momento, se oyeron voces ante la puerta de la oficina y el sheriff, con rapidez, sacó sus armas, encañonando a Eddy, al que dijo:

En tono bajo, el sheriff, le dijo:

—¡Hazme caso y levanta las manos...! ¡No temas...! ¡Está ahí el que te persigue!

Luego, en otro tono muy distinto, añadió:

—¡Tendrás que comparecer ante el tribunal! ¡Has hecho desaparecer a varios pacíficos ciudadanos! ¡Terminarás colgado tal como lo mereces!

En ese momento, entró 'El Pecoso', que, al tiempo de extraer sus armas de las fundas, gritando, dijo:

—¡Este es...! ¡Este es...!

—¡Quieto, amigo! ¡Esto es cuestión mía!

—¡Es un evadido de la prisión de Las Vegas!

—Aquí ha matado a varias personas. ¡Tendremos

que juzgarle! Si no le condena el tribunal a morir colgado, entonces se lo entregaré.

—Le llevaré conmigo. Debe entregármelo.

Eddy, en tono entendido y preocupado, aclaró:

—No puede hacer eso, sheriff. Este es otro Estado. Aquí éste que acaba de entrar, no es más que yo.

El sheriff, dijo:

—Pues tiene mucha razón este muchacho. Reconozco que no se me había ocurrido pensar en eso. Pero, es cierto...Esto es otro Estado. ¡No estoy, por lo tanto, obligado a entregar un prisionero que es mío!

—¡Se lo pediré al gobernador en Phoenix!

—¡El sheriff reclamará a Washington! —Dijo Eddy.

El sheriff, en tono molesto, le replicó:

—¡Cállate...! No vas a ser tú quién me indique lo que tengo que hacer. ¡Pasa ahí dentro...! Me sentiré mucho más tranquilo cuando te sepa bajo llave.

—¡Quítele las armas, sheriff! —Dijo 'El Pecoso'.

El sheriff, molesto, le contestó:

—Pero, ¿que os habéis creído vosotros dos...? ¡Tampoco tú me vas a decir lo que tengo que hacer...! ¡No creas que ignoro mi cometido!

Al oír lo que decía el de la placa, 'El Pecoso', quedó con cara de enfado.

Eddy obedeció, entrado en la habitación inmediata donde había dos celdas con puerta de hierro con verja.

El sheriff, después de desarmarlo, le empujó en una de ellas cerrando con cerrojo.

—¡Así me encuentro más tranquilo...! ¡Terminaron todas tus andanzas, muchacho! ¡Creías que podrías hacer lo que se te antojara!

El sheriff hizo salir a 'El Pecoso', que insultaba a Eddy, amenazándole con la cuerda.

—¡Ha tenido suerte, sheriff! Se trata de un gunman muy peligroso. ¿Cómo pudo sorprenderle?

—Vino a mi oficina creyendo posible engañarme. Ha debido conocer por alguien de este pueblo que tengo un hijo huido. Me dijo que lo había conocido en Las Vegas y que por eso había venido aquí. No le dejé hablar más; mientras lo hacía, yo preparaba el revólver que tenía en el cajón de la mesa.

—Hizo muy bien. ¡Cuando se enteren en Las Vegas se lo agradecerán de veras!

—¡No necesito que nadie me agradezca nada!

—¿No ha sabido nada de su hijo?

—¡Ni me interesa! ¡Ha muerto para mí!

Comprendió 'El Pecoso' que no le agradaba al sheriff hablar de este asunto y para desviar la conversación dijo a uno de los que le acompañaban:

—Esto ha terminado muy bien. ¡Creo que bien merece lo sucedido un buen trago de whisky!

—¡Yo dos litros de cerveza! —Respondió el aludido.

—¡Pues yo prefiero whisky...! —Intervino el otro acompañante.

Cuando salían los tres, entró Austin en la oficina con las armas empuñadas.

—¡El caballo que hay ahí fuera es de ese muchacho...! ¿Dónde está...?

—¡Guarde esas armas, Austin...! ¡Está en mi oficina! ¡No haga que me vea obligado a detenerle como a ese muchacho!

—¡Detenido! ¿Está detenido?

—¿También le buscaba usted? —Preguntó 'El Pecoso'.

Austin miró a El Pecoso con gesto hosco.

Fue el sheriff el que informó:

—Este es el ayudante del sheriff. ¡Le viene siguiendo desde Las Vegas! Quiere llevárselo a la prisión de allí otra vez. Ya le he dicho que primero le juzgaremos nosotros. Convocaré al tribunal para dentro de tres días.

—¡Nada de tribunal! —Bramó Austin—. ¡Ha de ser colgado! ¡Mató a varios hombres de mi rancho!

—¡No puedo permitirlo, Austin! Tenemos una ley y pienso hacerla respetar.

—¡Déjese de leyes, sheriff...! ¡Ese muchacho ha de ser colgado inmediatamente...!

—¡No...! ¡Se reunirá el tribunal!

—El sheriff tiene razón —medió 'El Pecoso'—. El

no puede autorizar eso. Claro, que si por la noche asaltan la prisión y se lo llevan de aquí...

'El Pecoso' salió a la calle después de decir esto.

—¡Está bien! Ese hombre ha dado la solución. ¡Yo me encargaré de que se le cuelgue!

Austin dio media vuelta, saliendo también, al tiempo que dijo a uno de sus hombres:

—¡Quédate aquí para ayudar al sheriff si te necesita! ¡No te muevas pase lo que pase!

—¡No...! Aquí no se va a quedar nadie. ¡Cerraré la puerta! ¡No necesito a nadie!

Mientras lo decía, el sheriff iba empujando suavemente, pero decidido, a los dos.

Cuando se vio solo cerró la puerta y entró en la celda, diciendo:

—¡Debes escapar antes de que vuelva Austin con sus hombres...!

—Si me escapo ahora comprenderán la verdad y será usted quien pague las consecuencias.

—Diré que he tenido un descuido.

—No. Ha puesto demasiado interés en quedarse solo. He oído lo que hablaron. Será mejor esperar a que vengan con ánimo de asaltar la prisión.

—Entonces no podrías hacerlo.

—¡Papá...! ¡Papá...! ¡Abre, soy yo!

—¡Qué complicación...! Es mi hija Peg. Parece muy asustada. Espera, te dejaré libre con las armas por lo que pueda suceder.

El sheriff abrió la puerta y entregó las armas a Eddy. Este se colocó detrás de la puerta que comunicaba con la oficina.

El sheriff abrió a su hija, que entró, preguntando:

—¿Quién es ese detenido tan peligroso que Austin dice tienes aquí dentro?

—Es un muchacho que mató a varios cowboys de Austin.

—¿No repetías siempre que todos temblaban frente a Austin?

—Este muchacho no le teme, pero se ha excedido y debe ser castigado.

—No debías ser muy severo con él, papá. Tal vez Len también este pasando por momentos difíciles.

Tú sabes que era incapaz de una mala acción hasta que le obligaron a hacer lo que hizo.

—Ahora no se trata de Len, sino de este gunman.

—¡Pero, también lo es Austin...! ¡Iba diciendo casi a gritos que sería colgado, aunque te opusieras...! ¡Déjale marchar, papá!

—¡Y me colgarán a mí...!

—¡No se atreverán a hacerlo!

Capítulo 5

Eddy abrió la puerta y salió, ante la sorpresa de Peg.

—¡Tiene razón su papá...! ¡Si me voy son capaces de colgarle a él!

—Le colgarán igual si se opone al linchamiento y yo sé que no consentirá lo hagan. ¡Venga conmigo...! ¡Le esconderé en casa esta noche...! Ahora ya no hay nadie en la calle.

La joven le cogió de una mano y tiraba de él con insistencia. El sheriff sonreía.

Peg no tenía nada más que quince años.

—¿Verdad, papá, que podemos esconderle en casa...? Addie me ayudará a ello. Mi hermana es muy guapa. ¿No la conoce...?

—Creo que tiene razón Peg. Debes irte con ellas. Yo diré que aprovechaste un descuido que yo tuve cuando mi hija vino a visitarme.

—¡No lo creerán! ¡Austin no se dejará engañar!

—¡Yo le convenceré...! ¡No te preocupes por

mi! Ahora vete con la pequeña. Ella te llevará hasta mi rancho. Allí podrás descansar esta noche y marcharte mañana, si lo deseas.

Eddy comprendió que la única oportunidad de escapar era aprovechar la ausencia de Austin y sus hombres y, confiando en que respetasen al sheriff, se marchó con Peg, que, contenta, montó a caballo dirigiéndose por los caminos más solitarios hasta el rancho, donde la madre, que estaba trajinando entre los cacharros de la cocina, al sentirla llegar, dijo:

—¿Aún no viene tu padre? ¡Estará en casa de Joseph!

—¡Mamá! ¡Traigo a un joven como invitado! Va a dormir aquí esta noche. ¡Pasa, Eddy...!

Este sonreía al ver con qué rapidez se había familiarizado con él la jovencita, que explicó a la madre lo sucedido de forma tan explícita, que sonriendo a su vez la madre, replicó:

—Estoy totalmente de acuerdo contigo, pequeña. No debías permitir que le colgaran. Austin está acostumbrado a que se haga en Tucson todo cuanto él ordena. Ya era hora de que alguien se opusiera a sus deseos.

Eddy, aclaró:

—Pero es peligroso para su esposo.

—No se atreverán por respeto a la placa.

—Está ese otro ayudante de Las Vegas, aunque el verdaderamente peligroso es Austin.

—¡Voy a ir con papá! ¡No tardaremos!

Peg salió del comedor y montó a caballo de nuevo.

La madre, sonriendo, comentó:

—¡Es un verdadero demonio esa chiquilla...! ¡Venga! Tendrá usted apetito.

—Hasta no ver aquí al sheriff no estaré tranquilo.

—No se preocupe. Robert no es nada torpe. Además, desde que sucedió...

Eddy, al observar el tono triste de la mujer y que se detenía como arrepentida de sus palabras, dijo:

—Me ha referido el sheriff lo sucedido con su hijo. La mayoría de las veces, son las circunstancias las que nos empujan por caminos que no quisiéramos ir.

Como en un profundo y dolorido suspiro, murmuró:

—¡Tiene mucha razón! Y, ahora, mientras yo ultimo lo de la comida, Addie le atenderá. ¡Addie...!

Una joven realmente guapa acudió a la llamada, quedando sorprendida al ver a Eddy.

En pocas palabras, explicó la esposa del sheriff lo que sucedía, terminando así:

—Debes atender a este joven mientras yo termino la comida. Tengo algunas cosas a la lumbre.

—¡Está bien, mamá!

Eddy quedó solo con Addie, a la que observaba a hurtadillas convenciéndose cada vez más de que no había visto antes de ahora nada que pudiera comparársele.

El silencio embarazoso fue al fin roto por la joven, refiriéndose a la actitud de su padre para con Eddy. Iniciada la conversación, a los pocos minutos, ya tranquilizados los dos, hablaban como si fuesen viejos amigos de la pequeña y traviesa Peg, a quien se debía la iniciativa de conducir al detenido a casa.

Peg llegó a la oficina de su padre, diciéndole al entrar:

—He sentido detrás de mí un grupo de jinetes. Debe ser Austin con todos sus hombres.

—¡No temas...! —Dijo el sheriff, al observar que su hija estaba muy nerviosa—. Cerraremos la puerta. Creerán que estamos dentro e insistirán en sus llamadas. ¡Claro que se darán cuenta de que faltan los caballos! ¡Pronto...! Dame un golpe en la cabeza, allí dentro, junto a la verja. Diré que me llamó el detenido y me agarró por el cuello golpeándome contra la reja.

—Papa... ¡No te daré fuerte!

El sheriff preparó la escena de modo muy correcto y cuando entraron Austin y dos de sus hombres, Peg estaba inclinada sobre su padre llorando desconsolada. Este sacudía la cabeza como si en efecto estuviera algo conmocionado por el golpe, mientras lanzaba una serie de juramentos y maldiciones contra Eddy.

—¡Se fue! —Exclamó el sheriff—. ¡Maldito sea! ¡He de colgarle yo mismo donde le agarre!

—¡No puede estar muy lejos...! —Dijo Austin—. Si me hubiera dejado terminarlo antes...

—Creo que sé donde esta... ¡Ha debido ir a reunirse con Will y Bradley! —Opinó el sheriff.

Estas palabras produjeron el efecto deseado entre los acompañantes de Austin.

Uno de ellos, dijo:

—Sería una locura ir a meterse en el bosque de saguaros. Los dos pueden terminar con todos antes de que podamos iniciar la defensa.

El otro dijo:

—Yo no creo que se atreva a venir otra vez por aquí.

Pero de pronto, Austin, exclamó:

—¡No crea que me engaña, sheriff! Usted, le ha dejado escapar. Por ese motivo no quiso que quedara nadie aquí dentro. ¡A mi no me engaña!

—¡Si repites eso...!

—¡Levante esas manos, sheriff! Ya quiso ayudarle la primera vez. Debe ser un viejo conocido o tal vez amigo de su hijo. ¡Eso es...! ¡No se me ocurrió pensarlo antes! Es un amigo de Len, por eso desde el primer momento se puso de su parte.

—¡Deje a mi papá...!

—¡Quítate tú de en medio!

Austin separó a Peg con el pie de modo violento.

—Esto que hace, Austin, le pesará. Está muy ofendido porque no le he dejado asesinar a ese muchacho cuando no podía defenderse. Con él no haría esto que hace conmigo. ¡Es usted un cobarde!

—¡Desármale! —Gritó a uno de sus hombres.

—Estoy desarmado. Lo hizo ese muchacho. ¿No lo ves? —Respondió él sheriff.

Austin no se había dado cuenta de esta circunstancia, observando cómo sus hombres se miraban entre sí.

Austin, furioso, dijo:

—¡Tenía muchos deseos de castigarte de un

modo ejemplar! ¡Y lo haré...!

—Ya lo sé. Te estorbo porque soy el único que no te ayudó en tus delitos, pero no creas que escaparás sin tu castigo. Lo saben donde deben saberlo.

El rostro de Austin se puso lívido al oír estas frases.

—¡Acabas de dictar tu sentencia de muerte!

Peg, llorando, salió del local y una vez fuera montó a caballo y, espoleándolo, le hizo galopar hasta su casa. Entró sollozando y refirió lo que sucedía.

—¡Ya le dije que era muy peligroso! —Exclamó Eddy, corriendo hasta la puerta.

—No es por esto. ¡Es que le odia desde hace ya mucho tiempo! —Comentó la esposa del sheriff.

—¡Si yo fuera un hombre...! —Decía Peg entre sollozos.

Addie salió detrás de Eddy, diciendo:

—Tenga cuidado, no se exponga inútilmente. ¡Déjeme ir con usted! Tal vez yo convenza a Austin.

—¡No! ¡Quédese aquí!

Seguidamente, Eddy espoleó a su caballo y éste salió tan veloz como el viento.

* * *

Austin seguía insultando al sheriff, al que encañonaba sin descanso.

—¡Te vamos a colgar!

—¡Podemos decir que lo hizo ese muchacho antes de escaparse! —Exclamó uno de sus hombres.

—¡Buena idea!

En ese momento, desde la calle, alguien gritó:

—Austin... Se esta acercando un grupo muy numeroso de jinetes.

Austin, recordando las palabras del sheriff, sintió miedo, diciendo:

—¡Enteraos de quienes son y qué vienen buscando! ¡No te sonrías! Si vienen por tu aviso no podrás decirles nada. Yo sabré defenderme acusándote a ti, que no podrás desmentir cuanto yo diga.

El sheriff permaneció callado.

La misma voz, gritó desde la puerta:

—¡Es una partida de caballos de Tanque Verde que van hacia la estación para su embarque! ¡Van sólo dos jinetes con ellos...!

Austin, le contestó:

—¡Dejadles pasar!

Desde dentro de la oficina se oía el pisar de los caballos pasando frente a la casa.

Uno de los jinetes que los conducía dijo al otro:

—No sé si estará por aquí un amigo con el que me gustará encontrarme otra vez. Es posible que me espere en la estación. ¡Eh...! ¡Cuidado con esos caballos de cabeza! ¡Se espantan!

Los dos jinetes galoparon rápidamente hasta la cabeza de la pequeña manada.

Austin, por su parte, cuando oyó cómo se alejaban los caballos, dijo:

—¡Preparad una buena cuerda...! Por la mañana encontrarán al sheriff pendiente de ella.

El sheriff sabía que no habría palabras que pudieran convencer a Austin y prefirió guardar silencio.

Acto seguido, se vio empujado por varias manos y conducido a la calle.

Para sí lamentó el sheriff la existencia de aquel roble frente a su oficina. Nunca se le ocurrió pensar en la posibilidad de que fuera él la persona que colgara allí.

Los hombres de Austin se movieron en completo silencio, como fantasmas, protegidos por las sombras de la noche sin luna.

Mientras, en la cabeza de la manada de caballos, Nopperling, pues él era el conductor, dirigiéndose a su acompañante, gritó:

—¡Viene un caballo en esta misma dirección! Debe traer mucha prisa por su modo de avanzar. ¡Si sigue así, nos puede espantar a nuestros caballos! Le voy a... Pero, ¡si es Eddy...! ¡Eddy...! ¡Eddy...!

Este conoció la voz de Nopperling y respondió:

—¡Nopperling...!

Al fin consiguió abrirse paso entre los caballos.

—Venía hablando con este otro de ti.

—Lo siento, pero tengo mucha prisa. Después nos veremos si es que me salvo de ésta.

—¿Qué pasa?

En poquísimas palabras explicó lo que sucedía.

—¡Te acompaño! ¡Eh...! Tú sigue con los caballos hasta la estación. Allí nos veremos —dijo a su acompañante.

Cuando llegaron a la oficina, muy próxima, el sheriff era conducido en el centro de los hombres de Austin hasta el árbol.

Inmediatamente comprendió Eddy lo que se proponía y sin consultar con Nopperling empezó a disparar sus armas con tanta rapidez que los vaqueros, asustados por el ataque de sorpresa, iniciaron la huida los que no cayeron en los primeros momentos.

Las armas de Nopperling trepidaron a la vez.

Austin, aterrado como sus hombres, se dejó caer al suelo como si hubiera sido muerto y permaneció inmóvil.

El sheriff, temeroso de que estos vaqueros disparasen contra él, también se dejó caer al suelo.

Eddy, casi enloquecido por considerarle muerto, cerró el paso a los que iban hacia los caballos, sintiendo rabia hacia Nopperling, que parecía olvidar sus propósitos y cada vez que elegía un blanco era alcanzado antes por su amigo.

El tiroteo soliviantó a la ciudad, especialmente a los que estaban en los saloons y bares. 'El Pecoso' fue el que primero salió de uno de éstos, corriendo en dirección a la oficina del sheriff, retrocediendo a guarecerse tras una esquina al ver el cuadro.

—¡Malditos coyotes! —Gritaba Eddy—. ¡Hemos llegado tarde! ¡Han matado al sheriff!

—¡No...! ¡No! ¡Estoy aquí...! —Dijo éste, levantándose y corriendo hacia Eddy.

Este desmontó y no pudo contenerse de abrazarle con efusión e inmensa alegría.

—¡No comprendo cómo yo me he visto mezclado

en la defensa de un sheriff! —Exclamó Nopperling.

—Porque comprendiste que era injusto lo que hacían con él —respondió Eddy—. ¡Vamos a su casa...! Aquella familia está angustiada.

—¡Murió Austin! —Dijo el sheriff—. Le vi caer cuando empezasteis a disparar.

—¡Debí matarlo antes! Querían ahorcarle, ¿verdad?

—Sí. Eso iban a hacer. Creo que ya no nos dará guerra el rancho de Austin. Habéis acabado con todos.

—La sorpresa del ataque es lo que ha permitido poder conseguirlo. Cuando se dieron cuenta de lo que estaba sucediendo habían caído la mayor parte. Sólo eran nueve para cuatro armas.

'El Pecoso' desde su escondite disparó. La bala, silbando por encima de las cabezas de los tres, fue el acicate para la huida rápida. Creyeron que había más hombres de Austin escondidos en las casas próximas.

Los tres llegaron en pocos minutos al rancho del sheriff, al que abrazaron al mismo tiempo su esposa y sus dos hijas.

Peg, después de abrazar a su padre, lo hizo también con Eddy, aunque lo hizo a la altura de los hombros, ya que no alcanzaba a más, diciendo:

—¡Gracias a ti todavía tenemos un padre! ¡Agáchate que te daré un beso!

Eddy, sonriendo, la elevó como un muñeco hasta la altura de su rostro y la besó.

Ella se abrazó a él llorando.

—Puedes darle las gracias, Peg. Si no es por ellos estaría colgado ya. Iban a hacerlo cuando se presentaron estos dos. Frente a mi oficina han quedado todos los que me conducían. ¡Austin entre ellos!

—Bueno, si ya pasó el susto, creo que podemos entrar a comer —dijo limpiándose los ojos la esposa del sheriff.

Querían culpar a este muchacho de mi muerte.

—¡Qué cobardes! —Exclamó Addie, dándose cuenta Nopperling entonces de ella y admirando en silencio su hermosura, que comparó con la de la hija de Morris, su patrón, resultándole difícil en realidad determinar cuál de las dos era más bella.

Eddy hizo la presentación de su amigo y éste, de carácter alegre, hizo pasar un buen rato a los dos jóvenes, especialmente a la traviesa Peg, con la que intimó desde los primeros momentos. También Addie se mostraba encantada de la locuacidad de Nopperling, que prometía visitarlas siempre que viniera a Tucson y hasta en su interminable charla apuntó el deseo de trabajar en algún rancho de las proximidades.

Como al expresar este deseo miraba intensamente a Addie, ella descendió con rapidez sus ojos al suelo un poco ruborizada.

—He de ir al pueblo —dijo el sheriff, después de cenar—. Vosotros podéis quedar esta noche aquí. Hay sitio para todos sin necesidad de quedarse en la nave de los vaqueros. Está un poco lejos porque prefiero que estén cerca del ganado.

—No podemos detenernos más. Este ha de ir a la estación y yo aprovecharé la noche para escapar. 'El Pecoso' no dejará de rastrearme.

—Es un poco temprano. Si no cansamos a estas jóvenes podemos quedarnos un poco más —dijo Nopperling.

Eddy comprendió que era Addie la causa de estas palabras y se sometió gustoso.

El sheriff prometió no tardar mucho.

Eddy habló con la madre de las muchachas mientras reían con Nopperling, que se mostraba satisfecho y agradecía en lo íntimo de su ser el haberse encontrado con Eddy.

El pueblo estaba totalmente revuelto, comentando del modo más airado lo que sucedió y que por no haber sido presenciado por nadie, cada uno lo imaginaba a su modo, excepción hecha del 'Pecoso' y sus amigos, únicos testigos del epílogo de aquella matanza.

Por eso, aparte de los bares, había gente por la calle que respondía al saludo del sheriff con alegría.

—¡El sheriff...! ¿Qué ha sido eso...? Dicen que el prisionero que tenía usted ha sabido aprovechar un descuido suyo para matar en sus propias barbas a los hombres de Austin. Este le culpa a usted de todo —dijo un vaquero al sheriff desde la puerta de un bar donde estaba con otros.

—¿Quién dice que soy yo el culpable?

—¡Austin...!

—Pero ¿no murió...?

—¡No...! Se hizo el muerto para salvar la vida. Está totalmente furioso contra usted. Creo que organizaba una partida para ir a su rancho donde suponen que están esos muchachos que les atacaron cuando iban a colgar al forastero.

—¡Austin miente...! No era el forastero... ¡Era yo quien iba a ser colgado!

—Será mejor que regrese a su casa, sheriff —añadió otro de los vaqueros—. Austin dice que le van a destituir como sheriff por cómplice de un gunman y cuatrero.

—¿Cómo sabe él que es gunman y cuatrero?

—Sea como sea, repito que debe regresar a su casa.

—¡No lo haré! ¿Dónde está Austin?

—Estaba en el local de Joseph.

El sheriff, que hizo detener el caballo al ser llamado por aquel vaquero, continuó su camino, desmontando junto a la barra de casa de Joseph, dentro de la cual se oían rumor de muchas voces.

Después de ascender los cuatro escalones de madera, se detuvo junto a las hojas de vaivén de la puerta y trató de escuchar mirando con cuidado hacia el interior.

Capítulo 6

Le era imposible oír dos palabras seguidas. Iba a empujar la puerta cuando oyó una voz potente reconocida en el acto por el sheriff, que dijo:

—¡Austin tiene razón...! El hijo del sheriff esta huido, y tal vez este forastero, sea un enviado de su hijo Len. El Banco y el dinero de nuestras casas no está seguro mientras ese hombre luzca la placa de cinco puntas en el pecho. Hay que sustituirle por otro. Lo que ha hecho esta noche demuestra su complicidad.

'El Pecoso', que también se encontraba entre los reunidos, levantando mucho la voz para que todos le pudiesen escuchar, dijo:

—¡Eh, muchachos, oíd! No podéis hacer eso mientras no podáis comprobar ante el gobernador que es, en efecto, cómplice de cuatreros y de gunmen, y eso es muy difícil de conseguir. Una simple sospecha, no autoriza para tratar de colgar a un sheriff sin un tribunal que lo juzgue y menos lo condenaría a ser colgado. El sistema de justicia que se esta imponiendo, es enemigo de los linchamientos y de la aplicación de la ley denominada del Oeste. Si destituís al sheriff de este modo y por sólo sospechas de complicidad, seréis encarcelados por orden de Washington. No creáis que este presidente va a cambiar de opinión. Es completamente enemigo del linchamiento y así lo esta repitiendo continuamente en todos sus discursos. Exige que, para colgar a un hombre, deben presentarse varias pruebas de lo que se acuse.

—¡Será mejor que se calle, amigo...! Arizona no es Nevada ni Utah. Nuestra sangre es mucho más ardiente y sentimos más la necesidad de la venganza. Nos agrada más eliminar serpientes que conservarlas, y las hay peligrosas en nuestros desiertos.

Reconoció el sheriff la voz de Austin, que ahora se enfrentaba a lo que había dicho 'El Pecoso'. Éste a continuación, aclaró:

—Yo también tengo motivos de mucho disgusto. Vengo persiguiendo a ese muchacho desde hace más de un mes, pero me habría opuesto a que se le colgara. Tiene una condena pendiente en Las Vegas y he de conducirle hasta allí otra vez.

Austin en tono furioso, gritó:

—¡Si soy yo el que lo coja tendrá que llevarse sus despojos! ¡Y más valdría que no se oponga a ello!

El sheriff comprendió que sería muy peligroso enfrentarse, entrando en esos momentos, dada la tensión existente entre los reunidos. En la indecisión lógica inclinó un poco la cabeza y, al ver la luz interior reflejada en la placa que tenía en el pecho decidió hacerlo, al pensar que ésa era su obligación como única autoridad del poblado. Además, tenía una cuenta pendiente con Austin y estaba de acuerdo con sus anteriores palabras. Los de Arizona tenían la sangre caliente y rendían un culto extraño a la venganza.

Pero al ir a entrar oyó decir detrás de él:

—¡Sheriff...! ¡No lo haga...!

Se volvió extrañado de aquella voz y vio a Eddy, que sonriendo se le unía.

—Pero...

—Perdone. He venido siguiéndole y he oído lo que habló con los vaqueros y lo que ahí dentro están diciendo. No podrían contenerse.

—¡Es mi deber...! Y si dejo que se caldee un poco más el ambiente, no sólo me colgarán a mí, sino que lo harán con mi esposa e hijas. ¡No conoces lo que es una estampida de vaqueros...! ¡Es algo imparable! ¡Tú eres quien debe desaparecer de aquí cuanto antes! Ya has oído a ese ayudante de Las Vegas.

—Pensaba seguir mi camino y lo haré tan pronto como tenga la seguridad de que no le sucederá nada a usted ni a su familia. ¡Creímos que había muerto Austin!

—Se enfrentó con la ley y soy yo quien la representa en este pueblo. ¡Márchate! ¡Te lo ordeno como sheriff!

—¡Está bien...! Pero no tenga el menor descuido. ¡Muchas gracias por todo! ¡Adiós!

—¡Adiós, muchacho!

El sheriff empujó las hojas de la puerta y entró muy decidido en el mismo momento en que Eddy iba hacia su caballo, en el que montó y lentamente le hizo caminar, para, a los pocos segundos, hacerle dar la vuelta. Entonces desmontó y ascendió con rapidez los escalones que separaban la puerta de la calle.

Por encima de las hojas de vaivén y, echado un poco hacia atrás, vio al sheriff, avanzando por una especie de calle que hicieron los reunidos al verle y que conducía directamente hasta el mostrador, donde estaba apoyado, y en silencio, Austin.

—He oído lo que decías, Austin, y ya veo que no has tenido el valor de decir que fuiste tú quien quiso colgarme, porque no te dejé asesinar a ese muchacho con el que no serías capaz de enfrentarte, gracias al cual debo la vida. Yo no soy cómplice suyo. Soy enemigo del linchamiento de acuerdo con los deseos del presidente y vengo a detenerte por intento de asesinato en mi persona.

Austin tenía un aspecto feroz, que aumentó al reír a carcajadas tan pronto como el sheriff dejó de hablar.

—¡Ya no eres el sheriff...! ¡Dame esa placa...! Y no cometas la torpeza de obligarme a disparar sobre ti. Me conformaré con evitar que sigas ayudando a los huidos o emisarios del gunman de tu hijo. ¡Quieto...! ¡Levanta las manos...!

Eddy no podía verlos ya, porque la calle se había cerrado y los que rodeaban a los dos personajes le impedían verles. Algunos eran casi tan altos como él, limitando la visibilidad a pesar de su talla.

Pero pensó que si entraba con cuidado, pendientes como estaban de la escena, podría pasar completamente inadvertido en aquellos momentos. No quería abandonar al sheriff en aquella situación tan difícil para él. Estaba seguro de que en el fondo se sentiría arrepentido el sheriff de no hacerle caso.

—¡Desármale tú...! —Gritó Austin a alguien, a quien no veía Eddy.

Cosa extraña. Estas palabras tranquilizaron a Eddy, porque el sheriff estaba más seguro desarmado que con las armas frente a aquellos hombres.

—¡Tenía razón ese muchacho...! ¡Eres un verdadero cobarde y también un traidor, Austin...! Hasta hace muy poco, asustabais porque tus hombres manejaban todas las armas, pero ya verás como muy pronto, la gente despertará y nadie te temerá.

—¡Cállate, Robert! No estoy muy sereno y los dedos pueden contraerse. El destituirte como sheriff no es cosa mía; ha sido un acuerdo general. Todos sospechaban de ti. Tu hijo debe estar oculto en los bosques de cactus adonde no es fácil ir sin ser descubierto. Te ves con él y debéis estar fraguando algo.

Eddy no se atrevía a avanzar entre aquellos hombres apiñados alrededor de Austin y del sheriff.

Con todas las antenas de sus sentidos en tensión, dio la vuelta por las mesas para ir a colocarse a espaldas de Austin con el sombrero muy echado hacia adelante.

—No quisiera meterme en las cuestiones de este pueblo, pero no creo que...

—¡Cállate tú también! —Gritó Austin interrumpiendo al 'Pecoso', que obedeció consciente de que sería una locura no hacerlo.

En ese momento, se oyó:

—¡Tira esas armas al suelo, Austin...! ¡Rápido! ¡Te estoy encañonando y ya sabes, en las horas que me conoces, que nunca fallo!

El grito de Eddy dejó paralizada la mecánica cerebral de Austin, pero no el instinto de conservación, que aconsejó la obediencia automática al tiempo que levantaba sus manos, diciendo:

—No creas que obraba en serio. Trataba de asustar al sheriff solamente.

—¡Cállate! Poneos todos de espalda y cuidado con las traiciones. Usted también, 'Pecoso'.

—¡Maldito seas, coyote! Te voy a...

—¡Calle...!

El discurso que iniciaba 'El Pecoso' murió en flor, obedeciendo como los demás.

—¡Sheriff...! Recoja sus armas y vaya quitando las de ésos con cuidado.

Se movió con rapidez el sheriff y en pocos minutos estaban sobre una mesa las armas de los reunidos.

—¡Volveos! —Gritó Eddy.

Grito que fue obedecido como si se tratara de un instructor militar en ejercicio.

—¡Quiero que presenciéis...! ¡Ah...! Si está Phil aquí también. Han tenido suerte hasta ahora. ¡Ven aquí, ponte junto a tu patrón!

—¡No me mates, muchacho...! Yo estaba influenciado por éste, pero...

—No continúes. No te escucharé. Ya sabía que eras un cobarde. No debes perder más tiempo en demostrarlo. ¡He dicho que te coloques junto a

Austin!

Phil obedeció inmediatamente. Austin, muy pálido, no decía una palabra.

—Ibas, por segunda vez en pocas horas, a intentar hacer desaparecer al sheriff y a erigirte tú, escudado en el terror que produce tu nombre, por las razones que ignoro, en sheriff de Tucson. Así ayudarías más a quienes, sin duda, tienes interés en hacerlo. Si puedes asustar a los honrados vecinos de Tucson, es porque con las armas habéis demostrado una verdadera y gran superioridad, ¿no es eso?

Nadie respondió.

—El sheriff hablaba hace poco de que tus hombres son todos hábiles con las armas. Pues bien, ahora mismo vais a pelear los dos, de frente, conmigo. Van a colocar las armas en vuestras fundas. Cuando estén allí enfundaré a mi vez y pelearemos de igual a igual, porque yo levantaré también mis manos. Luego, el sheriff dará la señal para sacar. Usted, 'Pecoso', no pierda un detalle de la pelea, porque la próxima vez que nos encontremos haré lo mismo con usted.

—¡No...! ¡No muchacho, no hagas eso...! —Protestó el sheriff.

—¡Sheriff, ayúdeme! Coloque las armas en las fundas de esos hombres. No me haga discutir... Ahora necesito tener mucha serenidad.

—¡Está bien! ¡Creo que estás loco de remate!

El rostro de Austin recobraba su color al ver cómo el sheriff cogía dos armas de la mesa, donde, con las suyas, estaban todas las de los reunidos.

—¡Yo quiero mis armas! ¡Aquellas no son mis armas! ¡Las armas hay que conocerlas! —Dijo Austin.

—¿Cuáles son? —Preguntó el sheriff.

Eddy, dijo:

—¡Déjale que las coja él mismo!

Cuando lo dijo, Eddy descubrió en aquellos ojos un brillo muy especial.

—¡Pero...! —Interrumpió el sheriff.

—¡No temas, sheriff...! No tratará de traicionarme.

Esto es el Oeste; a los traidores, como en este caso, se les cuelga. ¡No lo hará! ¡Confío en él!

Luego dirigiéndose a Austin, le gritó:

—¡Búscalas!

Austin bajó las manos y se acercó a la mesa. Primero estuvo separando tres armas distintas, cogiéndolas por los cañones al ver la vigilancia de que era objeto por parte del sheriff. Eddy también observaba con atención.

Pero Austin, que intencionadamente cogió así las armas anteriores solamente para confiar a sus vigilantes, de pronto, empuñó un revólver y se volvió rápidamente hacia Eddy.

Pero su dedo no pudo disparar, cayendo todo el cuerpo desplomado con los ojos destrozados y otro tiro más en la frente.

Phil sudaba copiosamente y, de pronto, se puso de rodillas, pidiendo perdón a Eddy:

Los testigos hacían esfuerzos para tragar saliva.

El sheriff, exclamó:

—¡Qué cobarde era!

Luego, dirigiéndose a Eddy, comentó:

—¡Me ha dado un susto de muerte! Yo no tuve tiempo de disparar, aunque en el último momento me día cuenta de la intención que tenía.

—Ahora sí que no hay duda de que Austin ha muerto. ¿Quién le sucederá en la jefatura de sus negocios...? ¡Prepárate, Phil, a pelear!

—¡No! ¡No me mates! ¡No...!

—¡Levántate! ¡No seas tan cobarde!

—¡No...!

Y Phil, como un loco, se abrió paso hacia la puerta, corriendo.

Eddy no disparó sobre él.

—¡Es muy inteligente! ¡Ha comprendido que no le mataría por la espalda! Pero, no le pierda de vista, sheriff. Tratará de vengarse en usted. ¡'Pecoso'...! No se te ocurra ir detrás de mí. Mi paciencia ya esta totalmente agotada. ¡Es mi último aviso!

El sheriff se acercó a Eddy, diciéndole:

—Por segunda vez te debo la vida. No te marches sin volver a casa. Allí estará tu amigo.

Eddy, muy emocionado por el tono en que el sheriff le hablaba, le dijo:

—¡Está bien! Llévese todas esas armas. Sin armas son totalmente inofensivos.

El sheriff, sonriendo, obedeció a Eddy.

* * *

Las calles de Benson estaban agitadas, en las que los soldados daban una nota típica, como si trataran de reconstruir lo que fue el Sur durante la guerra de Secesión.

Eddy detuvo su caballo. Nopperling, le preguntó:

—¿Qué sucederá por aquí...? ¿O será que hay siempre tantos soldados?

—No lo sé. Ahora nos enteraremos, pero supongo que será por Jerónimo, el jefe chiricahua, al que han tratado varias veces de atrapar, sin éxito. Sus hombres poseen magníficos rifles de repetición.

—¿Quienes les facilitan esas armas?

Eddy, pensativo, contestó:

—Los mismos comerciantes que antes vendían a los dos ejércitos en lucha.

—No lo creo. Deben de ser los mismo desaprensivos que están pasando armas a México.

—Yo supongo que los generales mexicanos estarán de acuerdo con Jerónimo.

—Si... También puede suceder eso. Dicen que Jerónimo habla muy bien el español.

Eddy, añadió:

—Y el americano. He oído cosas de él que lo presentan como muy listo, pero, sobre todo, muy cruel. No me gusta que haya tanto soldado. 'El Pecoso' no dejará de perseguirme y si solicita ayuda de estos hombres me será muy difícil escapar.

—Bueno, yo voy a beber un doble sin soda. Así me informaré de lo que sucede. Tú si no bebes, puedes quedar aquí guardando los caballos. No me fío de los soldados. No les puedes acusar de ser unos cuatreros, aunque les veas cogerte la montura.

—Será mejor que vayamos hasta el rancho de Morris.

—¿Sin echar un trago...? ¡No...! ¡De ningún modo...! ¡Me traería mala suerte!

—Está bien. Yo beberé un refresco. Tengo sed.

—Bebe whisky. Déjate de refrescos.

—Haz lo que quieras tú. Yo beberé lo que me agrade.

—¿Sabes que me acuerdo mucho de Addie...? ¿Verdad que es muy bonita?

—Lo es.

—Volveré a Tucson tan pronto como me sea posible.

—¿Has pensado en tu pasado y en tu presente?

—Solamente pienso en que Addie me miraba con buenos ojos. Me colocaré en uno de aquellos ranchos. Tal vez en su misma casa.

—No sé... Si su padre descubre que te dedicas a pasar armas a México...

—¿Quién te ha dicho eso? ¿Habló Austin?

—Sí. Quiso enrolarme en esa obra, y yo me negué. Por eso tenía tanto interés en eliminarme. Había hablado demasiado y se mostró pesaroso y arrepentido.

—Me alegro que lo sepas, porque yo iba a proponerte lo mismo. Podemos hacernos ricos con rapidez.

—No pienso hacerlo. Para la cuerda que ajustará tu cuello, de seguir así, no necesitas tener muchos dólares. Incluso son capaces de no cobrarte nada por ella. ¿No crees posible que estos soldados vayan a dar una batida en los ranchos inmediatos?

—No encontrarán nada.

—¿Estás seguro?

—Completamente seguro. Jerónimo no dejará registrar sus montañas ni sus cañones.

—Comprendo. ¿Tiene Morris relación con Jerónimo?

—No. Morris no conoce a Jerónimo ni habló una sola vez con él.

—¿Entonces...?

—Ignoro cómo lo hacen, pero las armas se

depositan en uno de los cañones dominados por las montañas Chiricahuas y habitadas por el apache Jerónimo, al frente de sus hombres, que son tan fieros como él. ¡Anda, si quieres beber, acompáñame!

En el local donde entraron, casi lleno en absoluto por soldados, era difícil conseguir llegar hasta el mostrador, saludando Nopperling a algunos vaqueros que estaban mezclados entre los militares.

Eddy observó que un capitán, joven como él, se les quedó mirando primero y, después, se fue aproximando a ellos dispuesto a escuchar lo que hablasen. Inmediatamente avisó a su amigo, que respondió:

—Ya me había dado cuenta de ello.

Pero el capitán se acercó a Eddy y, tocándole en el hombro, le dijo:

—No recuerdo bien, pero creo que nosotros nos hemos visto antes de ahora, ¿verdad?

Eddy miró serenamente al capitán y respondió:

— ¡Es la primera vez que le veo, capitán!

—¡Es extraño! He sido buen fisonomista y yo juraría que nos hemos visto antes. ¿Eres de por aquí?

—No. Vengo por primera vez a esta zona.

—¿Acaso de Nevada?

Eddy se puso inmediatamente en guardia.

—No he pasado por Nevada. Vengo de Colorado.

Luego el capitán dirigiéndose esta vez a Nopperling, en tono seguro, aclaró:

—A tu amigo no puedo recordar donde le he visto, pero sobre ti, no tengo ninguna duda. Te he visto en Nevada. En Las Vegas. Estuvimos fumando juntos en la estación mientras esperábamos al tren que venía hacia Sligman, ¿te acuerdas?

—Pues no lo recuerdo. Pero es cierto que vine desde Las Vegas a Sligman.

—Entonces no iba vestido de militar.

—¡Ah, ya...!

Eddy, preguntó:

—Y qué, ¿van de paso?

—No. Hemos sido destinados aquí. Nos quedaremos unos meses. Hay que proteger estos pueblos de los apaches chiricahuas. Son los únicos focos rebeldes de indios que quedan en la Unión. Estos y los sioux del Platte, que ya se marcharon hacia sus tierras, las Colinas Negras, en el sudoeste de Dakota del Sur. El presidente quiere que se termine, de una vez, con esas pesadillas. Me extraña ver tanto mexicano por aquí.

—Ha sido mexicana esta tierra hasta hace poco más de treinta años. Aún se habla más español. No debe sorprenderle.

—¿Venís de paso?

—No. Trabajamos. Bueno... Soy yo el que trabajo en el rancho de míster Morris. Este es sobrino de él y viene a casa de su tío.

—Yo llevo unos días por esa zona, con dos oficiales a mis órdenes. No recuerdo haberte visto por aquí.

—Es lógico porque acabo de llegar de Tucson. Fui en busca de unos caballos para las fiestas vaqueras de dentro de unos días. Los mexicanos acuden a ellas dispuestos a ganarnos una vez más.

Capítulo 7

—¿Un whisky? Yo invito.

—Gracias, capitán, yo no bebo alcohol.

—¡Qué extraño! Es el primer vaquero que veo así.

Nopperling llamó a otro cowboy, quien acudió en el acto, abrazándose entre un gran escándalo de frases ingeniosas.

—¡Hola, capitán! —Saludó el cowboy—. Este es otro de los vaqueros del rancho y, como todos los demás, está loco por miss Lydia.

—Estaba, Frank, estaba. Ahora me he enamorado de otra mujer más bonita que ella.

—No digas eso en el rancho, si no quieres morir tan joven. ¡Como miss Lydia no hay otra mujer en la Unión! ¿Verdad, capitán?

Éste, sin contestar a la pregunta, contestó:

—Les dejo. He de atender a los oficiales que parece que vienen buscándome.

En efecto, dos oficiales acababan de entrar en

el local.

Cuando el capitán se marchó, Nopperling, preguntó a su compañero Frank:

—¿Estará enamorado también el capitán?

Frank, sonriente, contestó:

—¿Es que tú has visto algún hombre que no se enamore de ella?

—Es verdad. ¡Ah, Frank! Este es un viejo amigo mío, que resulta ser sobrino del patrón.

Frank tendió su mano a Eddy, que éste aceptó, estrechándola.

—¿Sabe el patrón que viene?

—No me conoce, ni yo a él.

Frank miró con asombro, primero a Nopperling y luego a Eddy.

—¿Y vienes a verle sin conocerle...? ¿Crees que dará crédito a lo que diga el primero que se presente? El patrón es muy desconfiado por temperamento.

—Eso no te preocupe, es cosa mía.

Frank se encogió de hombros, mirando a Eddy con bastante desconfianza.

Tan pronto como le fue posible dijo a Nopperling, en un descuido de Eddy:

—Supongo que no habrás hablado nada con este tipo, de los asuntos del rancho. No me agrada su aspecto. Eso del parentesco con el patrón es un truco que han explotado los agentes en exceso.

Nopperling se echó a reír, diciendo con voz fuerte para que lo oyera Eddy:

—¿Agente Eddy...? ¡Tú estás totalmente loco! Es un huido de la prisión de Las Vegas, y anda un ayudante del sheriff de aquella ciudad detrás de él hace más de un mes. Lo hemos dejado en Tucson, pero si llega hasta aquí y pide ayuda a los soldados...

Eddy, sonriente, preguntó:

—¡Vaya! Este también me cree agente, ¿verdad?

—Desde luego, que en nuestro caso hemos de sospechar de todos. ¡No temas, Frank...! Conozco muy bien a Eddy. Más de un sheriff daría un brazo, muy gustoso, por poder atrapar a Eddy 'El Audaz'.

Así le llamábamos en la cárcel. Si usara muescas, tendría que llenar el cinturón, porque no cabrían en las culatas.

—Esta bien. De acuerdo, si tú le conoces. Por mí no hay ningún problema, pero debes comprender...
—Empezó a justificarse Frank.

—No te preocupes. Me hago cargo. Yo pensaría como tú, de estar en tu caso.

—¡Ahí está el patrón! ¡Ese es tu tío, Eddy!

Eddy miraba al señalado, que entraba saludando a un lado y a otro con una sonrisa agradable y que, al ver a Nopperling que le hacía señas con las manos desde el mostrador, se encaminó hacia allá.

Eddy le observó, mientras avanzaba, detenidamente.

Frank, a su vez, observaba a Eddy.

—¿Qué tal el viaje, Nopperling?

—Muy bien, aunque en Tucson tuvimos, éste y yo, algunos incidentes. Austin murió.

—¡Austin! ¿Quién lo mató? ¿Sería a traición?

—Lo maté de frente, cuando trataba de traicionarme por tercera vez —dijo Eddy.

—¡Eh...! ¿Tú, un imberbe casi, has matado a Austin? ¿Tenía sus armas cerca?

—Ya las tenía empuñadas, patrón, pero Eddy es un demonio que no tiene enemigo cuando se trata de encoger el índice. ¡Ah! Es sobrino suyo.

—¿Sobrino mío?

Morris se echó un poco hacia atrás.

—Si es usted el Morris que marchó de Indianápolis a San Luis, y de allí a Denver, desde luego que lo es. Mi madre se llamaba Irene.

—¿Y tu padre?

—Joe Cleveland Christy.

—No te hubiese reconocido nunca. Eras muy niño cuando yo marché de Indianápolis.

Morris abrazó a Eddy, ante la sorpresa de Frank.

—Ven conmigo. Tenemos que hablar mucho. Quiero conocer cosas del pueblo.

Acto seguido, cogió a Eddy de un brazo y lo separó de los otros vaqueros.

Eddy, en tono extrañado, le dijo:

—Lo que no sabía es que tuviera una hija.

—¡Cállate! Lydia no es hija mía. Me quedé con ella al morir su padre, que fue un buen amigo mío. Ella me cree su padre. Tú no debes decirle la verdad.

—Así lo haré.

—¿Vendrás al rancho conmigo?

—A eso he venido con Nopperling.

—¿Conocías a Nopperling?

—Le encontré en la cárcel de Las Vegas. De allí me escapé, pero el ayudante del sheriff no tardará en llegar. Le dejé en Tucson.

—¿Te vio?

—Si... Como yo a él. Creo que debí matarle cuando maté a Austin.

—Austin era un buen amigo mío. Hacíamos algunos negocios juntos.

—Lo siento, pero Nopperling sabe que no tuve más remedio que hacerlo.

—¡Está bien! No creas que me apena mucho. Era un buen pistolero. Si conseguiste adelantarte, eso dice mucho en favor tuyo. Los muchachos te temerán cuando lo sepan. Conocían a Austin.

Paseando y sin dejar de hablar llegaron dos horas después al rancho de Morris, que Eddy admiró desde que le indicó su dueño que pisaban terreno propio.

Una numerosa ganadería levantaba sus glaucos ojos a su paso y les miraban con indiferencia unos segundos para seguir pastando acto seguido. Algunos jinetes se veían ir de un sitio a otro. Una nube de polvo lejana y el mugido amortiguado de muchas reses hablaba a Eddy de una manada trasladada de lugar.

La vivienda era típica. Una sola planta de madera con la galería en la entrada en la que dos mecedoras indicaban que tras tantas personas pasaban algunas horas allí.

No lejos de la casa un grupo de árboles montaba la guardia a la vivienda de los vaqueros y, colgando de unos de ellos, vio Eddy un trozo de riel viejo de ferrocarril que supuso habría de servir al cocinero para avisar a los vaqueros ciertas horas de comida.

—Puedes dejar el caballo libre de todo estorbo, los muchachos se encargarán de darle un buen pienso.

A continuación, Morris hizo una seña a uno de los tres vaqueros que ante la vivienda de ellos contemplaban con curiosidad a Eddy.

—¡Encárgate de este caballo! —Le dijo Morris—. Que le sirvan un buen pienso. ¡Ah! Este es mi sobrino Eddy, que vivirá con nosotros.

El vaquero, sin replicar una sola palabra, pero observando muy detenidamente a Eddy, cogió el caballo y lentamente se alejó de allí.

Cuando estuvo cerca de los otros dos vaqueros habló con ellos.

Uno de éstos entró en la vivienda y, segundos más tarde, aparecían otros tres vaqueros que miraban hacia la casa del patrón en el momento en que éste y Eddy entraban en ella.

Una mujer de edad salió al encuentro de Morris.

—¡Hola, Juana! ¿Y Lydia...?

—Salió a caballo, como todas las tardes. No tardará mucho en regresar.

—Tienes que arreglar una habitación para Eddy. Es mi sobrino. Se queda aquí.

—Lo siento. No tenemos ninguna habitación, patrón. Los militares lo ocuparon todo.

—¡Es verdad! ¡No me acordaba de ellos!

—Puedo vivir con los vaqueros.

—No, nada de eso. Te harían la vida imposible. No conoces lo que son.

—No importa. Creo que me haré amigo de ellos.

—Lo dudo. El capataz tiene un carácter muy agrio y...

Juana, comentó:

—Los militares deberían marcharse de aquí. No dejan un momento tranquilo a Lydia. Se está haciendo coqueta, lo que no era antes. Los vaqueros están disgustados porque ahora apenas habla con ellos.

—¡Hace bien...! Ya era hora de que me hiciera caso. Bueno, hablaremos con Norman y le diré que te hagan un sitio con los vaqueros. Comerás con nosotros. Ahí sólo irás a dormir. Juana, avisa a Norman que venga.

—Salió con Lydia. No quiere convencerse todavía de que ella no le hace caso.

—No se convence ninguno de los muchachos.

Eddy, sonriendo, dijo:

—Me ha dicho Nopperling que es muy guapa y que todos están enamorados de ella.

—Ya la conocerás. Por ella hay peleas todos los días entre los muchachos. Ella es quien tiene que intervenir siempre para que la tranquilidad vuelva a imperar entre ellos. Esperemos a que venga Norman. Pasa, te enseñaré la casa mientras. Después pasearemos por todo el rancho. ¡Ah...! Yo te dejaré un caballo mejor que ese gigantón inútil que traes.

—No... Seguiré con mi noble amigo. En este momento, ambos estamos un poco cansados porque últimamente hemos cabalgado apenas sin descansar, pero una vez descansado no le cambio por ninguno de los que haya aquí. Lo considero mi mejor compañero.

—Tengo los mejores caballos de Arizona y ya podrás comprobar en las fiestas que aquí los hay muy buenos.

—Me jugaría este rancho, de ser mío, contra todos esos caballos en una carrera de diez millas.

—Aquí las celebramos de quince. Procura no jugar nada a favor de ese jamelgo. No has visto aún buenos caballos. Si te oye Lydia decir eso no dejaría de reír en una semana y te dejaría en un paseo por lo menos dos millas más atrás con el que ella monta.

—Si eso fuera cierto creería en las fábulas oídas de niño de que los caballos vuelan.

Eddy, al ver la insistencia de Morris defendiendo sus caballos y ante el temor de molestarle, pensó que era mejor ceder terreno y admitió al fin la posibilidad de que él estuviera equivocado.

Poco más tarde, montó en un caballo del que Morris hizo grandes alabanzas, saliendo los dos jinetes a pasear por el rancho.

Cuando pasaban junto a los cowboys esparcidos por la extensa propiedad, Morris los saludaba con la mano.

Eddy estaba dándose cuenta de la curiosidad que su presencia despertaba.

No encontraron, como había esperado Morris, a Lydia por la pradera. Cuando regresaron, estaba de pie en la puerta de la vivienda al desmontar los dos.

Eddy, mientras lo hacía, contempló a la joven con disimulo, admitiendo la justicia de cuanto había dicho de ella Nopperling y Frank.

Ella fue la primera en hablar, diciendo:

—¿Es éste ese pariente de quien me ha hablado Juana?

—Sí —respondió Morris—. Es sobrino mío. Se quedará con nosotros.

—Pues Norman ha maldecido varias veces al saberlo.

—Soy yo el dueño y no él. ¡Si no le conviene debe marcharse!

—Dice que no quiere vagos entre los muchachos ¡No le admitirá en aquella vivienda!

Eddy con bastante ironía, preguntó:

—¿Quién ha dicho a ese Norman que yo soy un vago?

—Supone que no vas a trabajar de vaquero siendo sobrino de papá.

—Pues supone muy mal. Yo trabajaré como los demás y estoy seguro de que lo haré mejor que ellos.

—¡Vaya, vaya...! ¿Conque eres tan presumido como grandullón? Pues te recomiendo que no hables así delante de Norman. No te libraría el parentesco de una recibir unos buenos golpes.

Eddy, replicó:

—¿Es que los vaqueros de aquí están acostumbrados a dejarse pegar?

—Norman no es un hombre corriente.

—¿Estás enamorada de él...? Sentiré entonces, si me molesta, estropearle un poco el rostro.

—¡No serías capaz de hacerlo...! Lo vas a pasar muy mal aquí, si eres tan fanfarrón. ¡Papá...! Ya han venido el capitán y los oficiales. Podemos cenar.

—¡Está bien!

Morris dijo por lo bajo a Eddy, en cuanto la joven entró en la casa:

—¡La has disgustado mucho! Empujará a los vaqueros en contra tuya. Debes de tener mucho cuidado. ¡Es una soberbia caprichosa!

—Me he dado cuenta de ello. Ya veo que necesita algo que no le ha dado nadie aún.

—¿Eh...?

—Me refiero a unos azotes.

Morris se echó a reír.

Presentado Eddy a los militares, se sentó a comer frente a Lydia a la que no miró ni una sola vez, atendiendo a la comida. Estaba hambriento. No atendía a la conversación, que versaba sobre las próximas fiestas.

—¡Lydia...! —Dijo Morris de pronto—. Tu primo Eddy asegura que su caballo vencerá a los nuestros en una carrera de fondo.

—Ese muchacho es un fanfarrón en todos los terrenos. ¡Necesita una buena lección! Puede correr con él en las carreras y se convencerá.

Eddy, dirigiéndose a su tío, contestó:

—No... No lo haré por no causarte un gran disgusto al ver derrotados a todos tus caballos favoritos.

Morris, en tono seguro, contestó:

—No lo harás si eres sensato, después de haber visto cómo son. Has montado en uno de ellos.

—¿Es uno de los favoritos ese que monté? Entonces rectifico lo que dije antes, tío John.

Lydia, sonriente, dijo:

—Veo que empiezas a ser razonable.

—Digo que rectifico, porque no serían dos millas las que quedarían detrás, sino cinco.

Lydia, con los ojos muy abiertos por la sorpresa y el furor, exclamó:

—¡Estás totalmente loco! Pero, no te preocupes, porque si sigues aquí, te curaremos entre todos.

—Yo puedo tener confianza en mi caballo, como tú la tienes en los tuyos. Aún no conoces mi caballo.

—Te engañas. Le he visto en el corral.

—Entonces conoces poco de caballos.

—¿Estás oyendo, papá...? No sé si podré aguantarle. ¡Me dan ganas de retarle ahora mismo!

—No te ganaría por no aumentar tu disgusto.

—Permítanme que yo opine —dijo el capitán—. He visto el caballo que este joven ha traído. Parece fuerte, aunque no sea bonito.

—Gracias, capitán —dijo Eddy.

—¡Está bien! ¡Ya lo veremos! Faltan pocos días.

Norman entró en el comedor en ese momento, saludando y sentándose a la mesa.

—¡Norman! —Dijo Morris—. Este es mi sobrino Eddy, que se quedará con nosotros. Dormirá con vosotros.

—¡Está bien!

Norman ni miró a Eddy.

Lydia, en tono enfadado, le comentó:

—¿Sabes lo que estaba diciéndome, Norman?

—¡No lo sé!

—Pues que es más vaquero que todos vosotros y que su caballo ganaría a los nuestros.

Norman levantó la cabeza y Eddy vio en aquellos ojos un brillo especial y una expresión diabólica.

—Se pondrán muy contentos los muchachos cuando lo sepan. A ese caballo, mejor dicho, penco, que está en el corral, le puedo dar dos millas de ventaja.

Eddy, sin dejar de comer, dirigiéndose a Lydia, con mucha ironía, le dijo:

—Estoy extrañado de tu actitud. ¿Como no les has llamada fanfarrón a él?

—¡Norman sabe lo que dice!

—¡Yo también!

—Podemos hacer una apuesta...

—No me gusta apostar —interrumpió Eddy.

—Si me ganas con ese penco en una carrera, aquí mismo en el rancho, te dejo de capataz, pero si pierdes tú, te largas de aquí.

—Esto si que es interesante. Yo creí que este

rancho era de mi tío.

—¡Y lo es! —Gritó Morris—. ¡Norman! ¡Cállate!

—Norman tiene mucha razón, papá. Tu sobrino es un tonto fanfarrón.

Morris, comentó:

—Hasta ahora no tenemos motivos para pensar así. Puede que su caballo sea más veloz que los nuestros.

Todos le miraron sorprendidos al oír este comentario.

Fue Norman, el que habló a continuación, diciendo:

—Sí, eso es tan cierto como que yo mañana, puedo ser el presidente

Ahora, fue Morris el que intervino.

—No se ha visto a ningún indio apache por aquí estos días, capitán. Tal vez Jerónimo esté informado de su estancia aquí.

Comprendió Eddy que Morris intentaba desviar la conversación y el capataz también lo entendió así, hablando sobre este asunto.

Pero ni Lydia ni Norman se daban por vencidos.

—¡Qué...! ¿Quieres aceptar mi apuesta...? —Preguntó Norman a Eddy.

—He buscado durante meses a mi tío y no quiero que por mi se encuentre con problemas en el rancho. Modifico la apuesta, ya que me obligas a ello, en el sentido siguiente: Si eres derrotado, tendrás que pelear conmigo delante de los vaqueros.

Lydia, comentó:

—Estoy segura de que vas a decir que también podrás darle una paliza.

—Creo que en eso Norman está tan seguro como yo. No aceptará mi contrapropuesta.

—¡Te equivocas...! ¡Pelearé contigo te derrote o no...! Confieso que me eres muy antipático.

—Eso me agrada, porque esta vez coincidimos.

Como un relámpago se puso Norman en pie.

—¡Quieto! —Chilló Morris.

—¡Déjale, tío! ¡Yo no me asusto!

—Si no fuera por lo que es...

—No debes pelear —medió el capitán—. A mí

me agradan los hombres que tienen confianza en sí mismos. Él no quería ofender a nadie.

—¡Es un fanfarrón! ¡No debió venir!

—¡Lydia...! —Protestó Morris.

—Ya me callo, pero he dicho lo que siento. ¡Si yo fuese hombre pelearía con él!

Eddy sonreía sin mirar a Lydia. Su atención estaba pendiente de Norman.

Morris, en tono enérgico, ordenó:

—¡A callar...! ¡Terminó la discusión!

Capítulo 8

Eddy entró en el departamento de los vaqueros, que estaba en silencio. Juana, que iba con él, le indicó cuál era su litera. La mujer se retiró y Eddy empezó a desnudarse sin ninguna prisa.

Le habían asignado una litera de las situadas en la segunda hilera, esto es, en la parte alta. La de abajo le dijo Juana, que pertenecía a Nopperling, que había quedado en el pueblo con Frank para recoger los caballos de la estación a primera hora.

Le agradó tener a Nopperling como compañero durante la noche.

Colocó bajo la almohada, gracias a su altura, las armas y a los pies de la cama, la ropa. Se echó en la litera y, de pronto, cedió ésta cayendo de cabeza al suelo entre un coro de carcajadas de todos los vaqueros que estaban incorporados en sus lechos, riéndose a mandíbula batiente.

Eddy, mientras se levantaba, sonreía para sí también. No dijo una sola palabra y se metió en la litera de debajo de la suya.

—¡Eh! —Gritó Norman—. ¡Esa cama es de Nopperling!

Eddy no respondió ni se movió del lecho.

—¿Es que estas sordo? ¡Te he dicho que esta cama no es la tuya...!

Norman estaba al lado de él.

—Ese es un asunto que ya arreglaré con él. No te preocupes, no me dirá nada.

—Pero yo no puedo permitir que lo hagas. Los lechos se respetan en esta casa.

—Y, ¿quién ha sido el cobarde que estropeó el mío? ¿Ha sido tú...?

—No creas que porque seas sobrino del patrón vas a insultar a nadie. ¡Sal de esa cama! ¡Aquí se me obedece a mí! ¡Soy yo quien manda!

Eddy se dio cuenta de que Norman estaba vestido y tenía sus armas al costado. Su actitud era bien elocuente. Tenía los pies abiertos y las manos muy cerca de las culatas... Sería capaz de todo. Los vaqueros dirían que fue provocado por él.

—¡Está bien! Me levantaré.

Y Eddy se movió para levantarse, pero como ya había colocado sus armas, que se habían caído junto con él, nuevamente debajo de la almohada, fue sencillo empuñar una de ellas. Encañonando al capataz, le dijo:

—Levanta las manos, ¡cobarde!

Norman, sorprendido por esta rapidez, obedeció, apretando los dientes, enfurecido.

—Y ahora, date media vuelta. ¡Cuidado, vosotros! Os veo a todos y podéis estar seguros de que no fallaré. No te habías acostado esperando el efecto de tu cobardía. Te voy a desarmar y después, ante todos éstos, te daré una buena paliza.

Eddy sacó las manos de las fundas, y los vaqueros, intrigados y admirados por la actitud de éste, se sentaron con comodidad.

Echó Eddy las armas de Norman sobre la litera de la que él se levantó y añadió a éstas el revólver que empuñaba, diciendo:

—¡Puedes volverte y defenderte!

Norman al ver a Eddy sin armas, se lanzó sobre él y muy pronto se armó un griterío enorme. Los vaqueros se dividieron en dos bandos. Los que odiaban a Norman, por su trato duro y desagradable, animaban a Eddy. Los otros lo hacían a Norman.

Media hora después, Norman, sin conocimiento en el suelo, era arrastrado por Eddy hasta la parte exterior de la puerta, donde le dejó.

Luego, se vistió con tranquilidad, y después de colgarse las armas, cogió dos mantas y salió de la habitación en la que quedaban discutiendo los vaqueros.

Eddy había conquistado a todos los muchachos con su noble actuación.

Cuando, profiriendo imprecaciones, entró Norman buscando a Eddy, todos se hicieron los dormidos. Pero con esto, no consiguieron otra cosa que aumentar más su irritación y provocar una serie de insultos del más refinado ingenio.

—¡Supongo que estarás escondido oyéndome! —Gritó al fin—. ¡Ya nos veremos mañana!

Tenía su cuarto independiente en un ángulo de la nave. Entró, cerrando violentamente la puerta.

Acto seguido, los vaqueros empezaron a hablar entre ellos comentando todo lo sucedido y discutiendo acaloradamente algunos.

Por fin quedó en silencio la nave durante unas horas.

Fue Norman el primero en levantarse y después de lavarse en el pozo frente a la vivienda, sus gruñidos despertaron a todos los demás. Tenía el rostro dolorido, molestias que, al principio, se agudizaron con el agua, para sentir mas tarde, cierta satisfacción. Después, al peinarse ante el espejo que servía para todos en la nave, observó su rostro completamente desfigurado. Los ojos estaban cercados por franjas violáceas y muy hundidos bajo la enorme hinchazón. Los labios también habían aumentado de volumen y en los pómulos el amoratamiento era intenso.

Esto le desesperó mucho más que la propia paliza, ya que temía que Lydia le viese, comprendiendo en el acto la causa de esta desfiguración. Ignoraba si a su vez había hecho con Eddy lo mismo, pero tenía que reconocer en lo íntimo que había sido muy inferior a aquel gigantón de fuerza extraordinaria.

Cuando se levantaron los otros vaqueros les miró en espera de que hicieran algún comentario por su rostro, pero como todos le conocían no se atrevieron a ello y esto le desesperaba más. Quería desahogarse en alguien, pero necesitaba un pretexto.

Repasó sus armas y salió al exterior. Preparó su caballo y salió en busca de Eddy. Después de acostarse pensó que habría ido a dormir al campo y ahora pensaba que si tuviera suerte en encontrarle no podría presentarse más en el rancho ese fanfarrón.

Al pensar en lo de fanfarrón llevó inconscientemente la mano a su rostro y lanzó unas maldiciones que habrían ruborizado a un carretero.

Regresó pronto sin éxito para organizar el trabajo del día. Ninguno de los vaqueros hizo la menor alusión a lo sucedido la noche anterior.

Al sentir la voz de Lydia, una especie de nudo en su garganta le impidió seguir hablando. Como sabía a la joven a su espalda no se atrevía a dar la vuelta.

—¡Norman! ¿Se ha levantado ya ese fanfarrón? Antes que se levante papá quiero demostrarle que su caballo no podrá jamás con los nuestros.

A Norman le pareció que en los rostros de los vaqueros había una morbosa alegría por el estado en que se encontraba y que estaban pendientes de que Lydia descubriera aquel rostro tan desfigurado.

—¿Qué miráis ahí como idiotas? ¡Fuera...! ¡Fuera todos! ¡Y si veis a ese cobarde le decís que se vaya del rancho porque le mataré donde le encuentre!

Lydia, extrañada por estas frases, lo comprendió todo al ver a Norman de frente y sólo dijo:

—No debiste dejarte sorprender por mi primo, parece un muchacho fuerte.

—¡Le mataré!

Morris, aproximándose, le dijo:

—¡Cuidado, Norman! ¡Soy yo el dueño de este rancho y ese chico es mi sobrino! Ya veo que al menos en lo de la paliza no ha sido fanfarrón.

—¡No podrá evitar que le mate!

—Ya lo creo, echándote del rancho. Los muchachos, después de lo que vieron anoche ya no te tienen miedo.

—Me sorprendió con sus armas.

—No mientas, Norman. Lo vi todo desde la ventana. Temía que intentaras algo contra él. Debiste dejarle en el lecho de Nopperling y te habrías evitado esa paliza.

—No podía pelear, estaba nervioso por haberme visto encañonado.

—Lo repetiría siempre que quisiera. Debes convencerte. Y tú, Lydia, procura no provocarle, pues le creo capaz de castigarte también a ti.

—Ya veremos si me puede con las armas.

—No lo intentes, Norman. ¡Es rápido como el rayo!

—¡Yo no soy de piedra precisamente!

—¡No quiero peleas con Eddy!

—No es justo, papá, que impidas a Norman que castigue a quien le desfiguró el rostro.

—No hija. Fue Norman el culpable de todo. Le hizo caer de la cama preparada para ello entre las risotadas de todos. Luego Eddy, se acostó en la de Nopperling, que no vendría anoche, según le dijo Juana y Norman le obligó a levantarse, colocándose frente a él en actitud poco tranquilizadora.

Morris, se quedó callado unos instantes. Luego mirando con fijeza a Normal, dijo:

—La rapidez de Eddy, te salvó la vida, porque yo te tenía encañonado desde la ventana, porque vi tu propósito de usar las armas. Después me hubieses dicho que te viste obligado, en legítima defensa a matarle.

A continuación, miró a su hija y añadió:

—Eddy se adelantó a Norman y le obligó, después de desarmado, a pelear. Fue rápida la pelea. Es mucho más fuerte y ágil Eddy. Pasé un buen rato viendo la pelea. Lo mismo les sucedió a los demás, pero por miedo a Norman no dijeron nada. He hablado ahora con dos y coinciden conmigo. Siempre que peleen Norman y Eddy, vencerá éste. ¡Es muy superior!

Norman estaba congestionado de rabia y habría disparado contra Morris si no supiera que era mucho más rápido que él con las armas.

La presencia ante la otra vivienda del capitán y los oficiales, hizo que Morris se encaminara hacia allá.

Norman montó a caballo y se alejó por el rancho hacia la parte del río.

La joven se dirigió a saludar a los militares. Ni ella ni su padre hablaron nada de lo que sucedió a Norman.

—¿Y su sobrino? —Preguntó el capitán—. Confieso que me agrada su carácter tan franco y confiado.

—¡No se ha levantado aún...! —Respondió Lydia con rapidez, mordiéndose los labios en el acto, al ver venir a Eddy jinete sobre un caballo sin arreos.

El capitán sonreía al ver la contrariedad reflejada en el rostro de Lydia y aunque no hizo ningún comentario estaba seguro de que cada vez odiaba la joven a Eddy con más fuerza.

Morris también sonreía cruzando una mirada de inteligencia con el capitán.

—¡Buenos días! —Llegó diciendo Eddy.

—¿De dónde vienes...? —Preguntó su tío, después de responder a su sobrino todos, menos Lydia.

—Acabo de levantarme. ¿No ha dicho nada Norman?

—¿De qué? —Preguntó ingenuamente Morris.

—¡Oh, nada! Prefiero dormir a la intemperie, estoy acostumbrado a hacerlo.

—Sana costumbre. ¿Y no se opuso Norman? —Insistió burlón, preguntando Morris.

—No, pero temía que no le agradara a usted.

Esta actitud tan noble de Eddy enfurecía todavía más a Lydia, que si se hubiera mostrado como ella esperaba, muy orgulloso de su triunfo. Por eso, sin poder contenerse más, dijo:

—No sigas. ¡No te hagas el inocente ahora...! ¡No has dormido allí porque tuviste miedo a Norman después de tu traición al golpearle cuando estaba distraído y no esperaba tu ataque!

—¿Ha dicho él eso? —Preguntó Eddy.

—¡No le hagas caso, muchacho! Norman reconoce tu superioridad —medió Morris.

—¡Sí, ya lo creo, como que te matará tan pronto te vea!

—Y ello te alegraría a ti, ¿no es verdad?

—¡Sí! ¡Lo confieso! ¡Me resultas odioso!

—¿Sabes por qué...? Porque todavía no he dicho, ni lo diré, que eres bonita ni todas esas tonterías a que estás acostumbrada. Tu belleza me es indiferente y al verte no siento mayor deleite que al paso de un buen puñado de terneros. ¡Eso es lo que te desespera!

—¿Le oyes, papá? ¡Me está insultando!

—No. Te está diciendo la verdad. ¡Ya era hora de que alguien te hablase con claridad!

Lydia dio media vuelta y desapareció dentro de la casa.

El capitán, comentó:

—¡Creo que ya, no dejará de odiarle...! Será mejor que se marche de aquí. Puedo ofrecerle la plaza de guía explorador con nosotros.

—¡Si no conozco esta zona...!

—Eso no importa. No lo sabrán en Washington, que es de donde enviarán su paga.

Morris intervino.

—¡No, no...! No debes marchar. La actitud de Lydia cambiará.

—¿Y Norman? —Volvió a decir el capitán—. ¿También espera que cambie?

—No; ése no cambiará nunca.

Eddy, dijo:

—Entonces, acepto. No quisiera tener que matar a Norman, al que según parece ama mi prima.

Esto lo dijo Eddy con voz fuerte, al ver a Lydia detrás de una ventana, no lejos de donde ellos hablaban.

Ella le oyó perfectamente, diciendo a Juana, que la acompañaba:

—¡Voy a salir y le voy a señalar el rostro con el látigo!

—¿No es cierto que amas a Norman?

—¡No...! Creo que le odio tanto como a éste. ¡Mira que dejarse pegar por ese fanfarrón...!

El capitán añadió:

—Debe venir conmigo hasta el pueblo. Desde allí iremos hasta las proximidades de los montes Chiricahuas.

—Supongo que no pensará atacar a Jerónimo dentro de su madriguera, ¿verdad?

—¡No! Ya lo hicieron otros sin el menor éxito. Tengo otros proyectos, de los que hablaré contigo. Permíteme que te tutee, puedes hacer lo mismo conmigo. Me agrada tu carácter. Creo que eres hombre decidido.

—Gracias, capitán.

—¿Dónde está tu caballo?

—No lo sé. Mi tío lo dirá. Siento no poder demostrar a esa testaruda jovencita que mi caballo es muy superior a los suyos.

Lydia, que le oyó, salió rápida a la puerta, diciendo:

—El día de las carreras nos veremos, si es que te atreves a presentarte.

—No lo haré por no disgustarte a ti, que estás tan engreída. Si fuera Norman el jinete, entonces sí lo haría.

—No lo harás porque sabes que no triunfarías. Allí no habrá ventajas como anoche.

Nada mas decirlo, Lydia se marchó hacia los corrales en busca de su caballo.

—¡Lydia...! —Gritó su padre—. Acompaña a Eddy hasta el corral pequeño. Allí está su caballo.

No disimuló su desagrado la joven, expresándolo en golpes de fusta sobre sus botas de montar.

—¡No es necesario me acompañes...! Indícame dónde está —dijo Eddy.

Ella no respondió. Quería ir porque quería ver de cerca aquel caballo.

Cuando estuvieron cerca del animal, al que Lydia contempló con desdén, exclamó:

—¿Este es el que dices que triunfará frente a los míos? ¡Es tan odioso de aspecto como tú!

Y Lydia golpeó con la fusta el rostro del animal, que se encabritó, atacando a Lydia con los cascos delanteros. Muy mal lo habría pasado Lydia si Eddy no la hubiera cogido en brazos alejándola con rapidez del caballo, que siguió buscándola entre relinchos que hicieron temblar a Lydia y acudir a su padre y a los militares.

La joven se abrazó instintivamente a Eddy al oír estos relinchos. Aunque no quería reconocerlo, estaba francamente asustada y esto le desesperaba. Por ello no se atrevía a mirar a los ojos de Eddy.

—Si no actúo con rapidez te habría destrozado. Pero no creas que lo hubiera sentido mucho. ¡Lo merecías! El animal podrá o no agradarte, pero no debiste castigarle así. Has denotado ser muy mala persona.

Morris recriminó a su hija al reconocer lo sucedido y el capitán felicitó a Eddy por haber salvado a la joven.

—No lo hice por ella, capitán, lo hice porque el caballo no se saliera con la suya.

La joven, que amaba a los caballos, dijo:

—Aunque no le he dado fuerte, siento mucho haber golpeado al caballo, pero sigo pensando que no vale para ganar a los nuestros.

El capitán sonreía al comprender lo tozudos que eran los dos jóvenes.

Eddy comprobó en ese momento, que el capitán no estaba, como había dicho Frank, enamorado de Lydia.

Con el caballo ya preparado, de la brida, iba Eddy al lado del capitán, cuando apareció Nopperling con Frank.

—¡Hola, Eddy! ¿Qué tal en tu nueva vivienda?

—He durado poco. ¡Ya me han echado, Nopperling! ¡Me marcho ahora mismo!

—No será por la paliza que diste anoche a Norman. ¡Le estuvo bien empleado! ¡Espera...! Si te vas, voy contigo. Me vuelvo a Tucson.

—¡No...! Debes quedarte aquí con mi tío. Yo voy de explorador con el capitán. Nos veremos con frecuencia en el pueblo.

—¡Explorador! ¡Si no conoces esto! —Protestó Lydia.

—¡Ya lo conocerá, miss Lydia!

—¡Lo dudo...!

—Lo conoceré igual que ganaría la carrera si tomara parte en ella.

—Eddy, recuerda que aquí hay muy buenos caballos. No lo olvides —observó Nopperling.

—Pero no como éste.

—¿Vamos? —Dijo el capitán, montando, siendo imitado por sus oficiales.

—¡Vamos! —Respondió Eddy, montando a su vez.

Capítulo 9

Lydia, cuando vio montado a Eddy, lo hizo también. Se puso al lado del joven y le dijo:

—Te voy a demostrar en esta hermosa pradera que ese penco no podría vencerme jamás.

—No haré caso de tu presencia, aunque creo que tu orgullo merece una lección.

—Te hago una apuesta.

—No; seré yo quien imponga condiciones. Acepto ese reto y si triunfo yo...

—No. Seré yo primero quien proponga.

—¡Acepto de antemano!

—No aceptes sin saber lo que voy a decir.

—¡Acepto!

—Está bien. Si te derroto, te golpearé el rostro con la fusta como hice con tu caballo. Y, así como siento haberlo hecho con el caballo, en tu caso, no lo lamentaría.

—De acuerdo. Si eres derrotada te dejarás besar sin protestas, ¿aceptas...?

Lydia sintió un calor demasiado sofocante en el rostro. No esperaba que su condición fuera sólo ésa. Al fin se echó a reír.

—De acuerdo. Has pedido lo que sabes que me habría de mortificarme más, pero no lo conseguirás, ¡Alcánzame!

—¡Espera un momento...! Debes de decir primero si aceptas o no delante de todos.

—¡Acepto!

—Ahora puedes galopar. Te daré cien yardas de ventaja y te alcanzaré antes de las dos millas.

—¡Decididamente eres un fanfarrón soberbio o loco!

Picó espuelas Lydia y su caballo salió disparado como una flecha. A los pocos segundos lo hizo Eddy.

Desde los primeros momentos tuvieron la seguridad quienes presenciaban el duelo, de que Eddy triunfaría con mucha facilidad.

Cuando a los pocos segundos vio Lydia al caballo montado por Eddy pasar a su lado como una exhalación, arreció en el castigo al suyo, teniendo que admitir sin lugar a dudas la superioridad manifiesta de aquel penco, como ella llamara al caballo de Eddy.

Detuvo su montura, y dio media vuelta. Al llegar junto a su padre, dijo:

—Este caballo no está bien hoy.

—No lo estará nunca para competir con el de ese fanfarrón como tú le llamas. Hasta ahora está demostrando que es cierto cuanto ha dicho.

Ella también lo reconocía así para sí misma.

Desmontó en espera de que Eddy llegase. Había aceptado el reto y las condiciones y no podía dejar de cumplirlas.

—Ese caballo no está en condiciones —dijo Eddy al llegar—; queda sin efecto, por lo tanto, el castigo que te había prometido.

—No trates de atenuar la victoria. Reconozco que me has vencido.

—Si es así tendrás que pagar el precio de tu derrota.

Desmontó Eddy y, acercándose a Lydia se

inclinó hacia ella, mirándola profundamente a los ojos. La abrazó fuertemente y al besarla en los labios con fiereza, dijo:

—Ahora sí, te digo que eres muy bonita, tan bonita como soberbia y orgullosa.

Lydia creyó que la ahogaba y cuando al fin, después de varios segundos la soltó, ella se frotó con fuerza los labios, marchando hacia la casa, enfurecida.

* * *

—Mi propósito es entrar en la guarida de Jerónimo mientras iniciamos un ataque con todos los soldados. Necesito un hombre muy decidido que entre en esos cañones y por los pasos que existen entre todas esas montañas —dijo el capitán.

—Ellos no descuidarán la vigilancia, a pesar del ataque. Un solo hombre en cada lugar estratégico será suficiente para contener un batallón. Ese Jerónimo sabe lo que se hace. Lleva varios años sin poder ser eliminado y cada vez son más importantes sus pillerías. No hay caravana, diligencia ni pueblo inmediato que pueda sentirse tranquilo —observó uno de los tenientes.

Se habían detenido en el camino. Eddy, que también asistía a esa reunión, comentó:

—Tal vez utilizando sus propios medios haya una posibilidad de entrar en esas montañas, pero una vez dentro, ¿qué hace quien lo consiga?

—Necesito conocer con exactitud el número de individuos que están con él y también, si algún blanco les acompaña.

Eddy pensó en Will Bradley.

—Jerónimo tendrá que perecer si no se entrega. Desde Wilcox atacará el capitán Smith —dijo un oficial.

—Quisiera adelantarme yo, teniente. Por eso creí que este joven nos serviría. Le creo capaz de entrar en esa guarida con éxito.

Eddy sonreía halagado.

—Intentaré complacerle, capitán, pero para ello he de tener absoluta independencia y libertad de movimientos. Seré yo quien determine el momento y forma de hacerlo. Antes me dedicaré a estudiar el terreno.

El capitán tendió sus dos manos a Eddy, exclamando en tono confiado:

—¡De acuerdo...! Pero que nadie sepa que eres un auxiliar nuestro. Jerónimo debe estar informado de todos nuestros movimientos. Por eso no ha salido en estos días de su guarida.

—¡Está bien!

Marcharon al pueblo después de esta detención en el camino, durante la que hablaron lo expuesto.

Pero antes de llegar les alcanzó Morris que, extrañado de ello, dijo:

—Creí que hacía tiempo que estaban en Benson. ¡Eddy, debes volver a casa...! He reñido con Norman y le he despedido. Quiero que seas el capataz.

—¿Qué piensa Lydia?

—No se opone.

—No puedo. Ya he contraído un compromiso con el capitán.

—Norman te buscará en unión de dos vaqueros que le son incondicionales, para matarte. Lydia te ha defendido delante de Norman. Esto le ha enfurecido y ha sido la causa de reñir conmigo.

—Lo siento mucho. He de cumplir mi compromiso con el capitán.

—Vayamos hasta Benson. Allí hablaremos.

Morris se colocó al lado del capitán, en el orden de marcha de los jinetes, dispuesto a convencerle para dejar en libertad a Eddy de su compromiso; pero el capitán deseaba la ayuda del joven como parecía desearla el propio míster Morris.

Por eso no fue posible convencer al capitán, aunque comprendía que, estando Eddy en libertad de elegir el momento de intentar la entrada en la morada de Jerónimo, podía ser al mismo tiempo capataz del rancho, al menos hasta que decidiera ir a las montañas Chiricahuas.

Tanto insistió Morris, que el capitán le dijo en qué consistía la misión encomendada a Eddy.

Morris, al conocer la verdad no insistió más, diciendo solamente que una vez terminado el asunto con Jerónimo debía volver con él.

En Benson, el capitán no se detuvo en el saloon en que entró Morris, llevándose con él a Eddy. Los militares siguieron hacia donde estaban los soldados al mando de un teniente y varios sargentos.

Morris dijo a Eddy:

—No has debido molestarte con Lydia. Debiste pensar que es una caprichosa acostumbrada a hacer siempre su voluntad; sin embargo, está encariñada ahora con montar tu caballo en las carreras. Asegura que es mucho más rápido que los nuestros.

—Entonces, ¿ella no se opone a mi regreso porque desea que la deje mi caballo...? Pues lo siento, pero no podrá montarle y les venceré en las carreras, ya que pienso tomar parte.

—No debes hacerlo. Lydia no es mala en el fondo. Le darías un serio disgusto si no es la vencedora. Yo te daré lo que pudieras ganar con el premio.

—Aunque me hace falta el dinero, no es eso lo que más me interesa. Sino el placer de derrotar a Lydia.

—Veo que eres tan tozudo como ella.

Eddy, que estaba mirando hacia la calle, es decir, hacia la puerta de salida, vio entrar en ese momento a Will Bradley, volviéndose un poco de lado con rapidez para no ser reconocido.

Bradley entró mirando a un lado y otro, encaminándose decidido hacia Morris, pero al ver a Eddy con él, se detuvo diciendo al fin:

—¡Hola! ¿Tú también estás aquí?

—Ya lo ves. Puedes hablar con mi tío. Os dejo solos.

—Pero ¿es cierto que es tu tío?

—Que te lo diga él.

—¿Os conocíais?

—¡Sí! —Respondió Eddy.

—Ven aquí. Si eres su sobrino, puedes oír lo que voy a decirle. Es un recado de Claud, el dueño del rancho que le vendió caballos.

—¿Qué es ello? —Preguntó Morris.

—Dice que hay algunos entre los enviados que son robados. Se enteró después de salir de aquí. Como esto podría originar serios disgustos, creo sería conveniente no tomarais parte en las carreras con ninguno de ellos.

—No pensamos tomar parte. Este nos ganaría a todos con facilidad. Prefiero no ser derrotado.

—Pero si es...

—No importa que sea su sobrino. A mí también me gusta triunfar.

—¿Y Lydia?

—Se ha quedado en el rancho. Esta realmente disgustada con éste.

—Voy a acercarme a saludarla.

—Después nos veremos. No tardaré en ir.

Bradley se despidió y Morris dijo a Eddy:

—¿Hace mucho que conoces a Will?

—Lo he visto una sola vez antes de ahora y por encargo de otro amigo.

—¿Le visitaste en los saguaros?

—Sí.

Morris en tono preocupado, añadió:

—No me agrada. No sé qué le encuentro de extraño.

—¿Viene con frecuencia aquí?

—De tarde en tarde.

—¿Dónde le conoció? ¿En Denver o antes?

—Lo conocí aquí. Es otro admirador de Lydia.

—No me sorprende.

Pero Eddy estaba intrigado por la presencia de Bradley y en ese momento decidió que, si quería entrar en la guarida de Jerónimo, debía seguir a Will cuando marchara de Benson. Para ello debía de volver al rancho, ya que Will también se quedaría allí.

—¿Está seguro de que Lydia no se incomodaría si me viera volver? —Preguntó Eddy.

—¡Completamente seguro!

—Entonces voy a ir a tratar de convencer al capitán para retrasar ese proyecto.

—Darás una gran alegría a los muchachos. La mayoría están admirados de ti por lo que hiciste anoche con Norman. Claro que éste es peligroso y hay que tener mucho cuidado con él.

—¿No se ha ido ya...?

—Aún no. Lo hará mañana si yo no cambio de opinión.

—Entonces debe dejarle que siga de capataz. Trataré de hacer las paces con él.

—Está enamorado de Lydia. No será difícil convencerle de que se quede. En cuanto a ti, Lydia sólo desea que le dejes tu caballo el día de las carreras.

—Tendrá que familiarizarse antes con el animal. No son muy buenos amigos desde que le golpeó con la fusta.

—Puedes cambiar hasta las carreras tu caballo por otro de mi rancho.

—Después hablaremos de ello, antes he de convencer al capitán.

—Debes de tener gran cuidado. El asunto de Jerónimo ha costado la vida a todos los que lo han intentado.

—No debió mezclar nunca a los indios en este asunto de las armas.

Morris se movió como si hubiera sido mordido por una serpiente.

—¿Qué has dicho...?

—Ya lo ha oído. Ese grupo rebelde de indios está alimentado de armas y munición por los que se valen de ellos para el contrabando de armas. Por el río Bravo entran las armas en México. Las llevan los indios chiricahuas. El día que todo esto se descubra, no habrá quien evite la cuerda para los complicados. El presidente no tendría benevolencia.

—¿Quién te ha hablado a ti de estas cuestiones?

—Nopperling confía en mí y habló con claridad. Yo sé que las armas están en los cañones de los terrenos de Jerónimo. Si el capitán supiera todo esto... Pero no tema, no tengo interés en decírselo. No me preocupa lo de las armas, pero a los indios les odio. Mataron a la familia de un buen amigo mío, que se volvió loco al conocer la noticia. Les mataré como coyotes si me es posible. Deben procurar que Jerónimo muera sin hablar. Ya sé que tiene usted amigos valiosos en Washington, pero hay que tener mucho cuidado, ellos conocen al presidente y no intercederían en favor de nadie y nadie creería las acusaciones que hicieran en contra de esos personajes que son muy hábiles.

Morris estaba anonadado con todo lo que escuchaba, mirando de arriba abajo a Eddy.

—Comprendo que sería inútil seguir negando, pero Nopperling no debió decirte nada.

—Hablaba con el amigo a quien conoce bien y con el sobrino del patrón.

—De todos modos, prefiero haber hablado de esto. Podrías haber tenido alguna ligereza hablando con el capitán. Si sabes guardar silencio, no te pesará.

—¿Conoce Lydia todo lo que sucede?

—No. Ella no sabe nada.

—Debe seguir ignorándolo.

—De eso estoy yo más interesado que nadie. Aunque, como sabes, no es mi hija, la quiero como tal y daría gustoso la vida por ella. De no ser por Lydia no estaría yo metido en este jaleo. Quiero ganar muchos dólares para llevarla al Este y que viva como una reina.

—Pero es muy peligroso y ha llegado el momento de abandonar, si es que puede hacerlo.

—No es posible. Voy a confiarme a ti. Yo no soy nada más que una modesta pieza de un complicado mecanismo, pero no puedo separarme sin gran riesgo de mi vida.

—Cuando los otros quieran intervenir, puede estar muy lejos. En México.

—No. Allí es mucho más peligroso. Todavía, no puedo retirarme de todo esto.

—¿Es Will Bradley el jefe de todo esto?

Eddy observaba el rostro de Morris, que acusó

la pregunta con una palidez muy aguda.

—Bradley no sabe nada de esto.

—Veo que él es más explícito que usted. Es amigo de Jerónimo. El único blanco que entra y sale en aquellos dominios. Debe de ser él quien transporte las armas hasta el cañón de Jesse James, que es donde están las armas depositadas y escondidas.

—Te digo que no sabe nada de todo esto y si no quieres tener un serio disgusto, no le hables de estos asuntos que indique que yo estoy en todo esto de las armas. Hay en el pueblo varios agentes especiales que vigilan atentamente los movimientos de todos.

—La zona desértica de los saguaros enlaza por el este con las montañas Chiricahuas. Tal vez ése sea el camino que siguen las armas antes de entrar en México. Lo digo para que no crea que me engaña. Estoy acostumbrada a burlar a los sheriffs y a no dejarme engañar por ellos. Debe de tener gran cuidado con Will Bradley. Es muy astuto, pero no me gana.

—Será mejor que hablemos de otra cosa.

—No. Yo no hablaré de nada. Voy a ver al capitán. No tema. No sé nada de nada.

Morris, preocupado, montó a caballo, encaminándose hacia su rancho y pensando en todo lo que habló Eddy sobre las armas y los indios.

Cuando llegó a su casa estaban en la puerta discutiendo acaloradamente Lydia y Norman. Tratando de apaciguarles, estaba Will, pero, por cierto, sin mucho éxito. Pero al ver llegar a Morris, Norman marchó hacia la vivienda de los vaqueros.

—¿Qué os pasaba? —Preguntó Morris.

—Norman se niega a que vuelva ese pariente y dice que si le ve por aquí disparará contra él por la espalda, si es preciso. No cree que su caballo sea más veloz que los nuestros y asegura que le derrotaremos si se presenta en la carrera.

—Norman estaba despedido, pero sólo le permitiré quedarse si no arma más líos con mi sobrino, que no tardará en venir.

—¿Le has convencido para que me deje el caballo?

—Vendrá aquí. Debes ser tú quien trate de convencerle. ¡Will...! Hemos de hablar.

Capítulo 10

Entraron en la casa los dos hombres.

Lydia permaneció en la galería, sentándose en una de las mecedoras, pensando en las infinitas cosas que una joven a esa edad suele pensar.

Pensamientos que fueron interrumpidos al escuchar la voz de su padre, que decía:

—¡Te aseguro que ese Eddy que dice que es sobrino mío, es un agente especial!

—Si... Es lo que yo sospeché cuando me visitó en los saguaros.

—Viene rastreando el asunto de las armas. Y no debe de estar solo. Nopperling debe ser otro.

—¡No! De ese estoy seguro.

—¡Hemos de obrar con mucha rapidez! Van a atrapar a Jerónimo. Si lo cogen con vida hablará y en ese caso nosotros iremos a la cuerda. Debes avisar a Jerónimo de lo que se proponen.

—No temas que se deje sorprender. No es fácil entrar en las Chiricahuas. Los pasos obligados por donde hay que entrar están dominados por unos rifles.

—¿Cómo entras tú entonces?

—Conozco la contraseña de Jerónimo. Tres veces el rifle sobre la cabeza y dos a los lados.

—Ese muchacho va a ir hasta esas montañas con ánimo de informar al capitán de varias cosas.

—No podrá llegar con vida a no ser que Jerónimo desee interrogarle. No quisiera estar yo en su lugar en el caso de que Jerónimo decida triturarle. Es lo más cruel que puede imaginarse.

—¿Tiene muchos hombres con él?

—Sólo él lo sabe. No se fía de nadie. De vez en cuando veo algunos grupos de apaches. Otras no veo a nadie más que a Jerónimo. Últimamente lo encontré bastante preocupado. Massai Pie Grande, se muestran más firme que el jefe máximo de ellos. Si un emisario del ejército hablara con Jerónimo es muy posible que le convenciera para que se entregue.

—Eso sería un peligro para nosotros.

—No temas. Yo me encargaré de que esto de las armas no pueda conocerse por Jerónimo. El, en realidad, ignora cuál es el destino de las armas que almacenamos allí.

—No estoy tan seguro. Estoy deseando terminar todo este asunto.

—Sólo faltan dos partidas por pasar. Si los soldados van a rodear las Chiricahuas, será difícil hacerlas venir desde Las Vegas hasta donde llegan en tren como distintos materiales. Habrá que llevarlas por el Colorado a San Luis, cerca del lago de los Volcanes.

—¿Hay armas en el cañón?

—No. Pasaron todas a México. Jerónimo no hablará. ¿Hiciste desaparecer mi última nota?

—Sí, tranquilo.

Las voces fueron amortiguándose por el alejamiento de los dos. Lydia no sabía qué le sucedía.

Sus emociones eran encontradas luchando entre sí y haciendo que su ánimo no se fijara con un criterio sereno. Era tan sorprendente el descubrimiento realizado que no sabía cómo pensar en la multitud de problemas que se planteaba su inquieto cerebro.

Su padre, después de ser considerado por ella como el símbolo de la completa rectitud y la honradez, era un vulgar contrabandista de armas. De esos odiosos personajes que sabía odiaba toda la Unión porque se dedicaban, por un puñado de dólares, a facilitar armas a los enemigos de su país con el ánimo de desquite en el que soñaban desde hacía cuarenta años.

De lo escuchado, se deducía también, que estaba de acuerdo con Jerónimo, el terrible y odiado jefe apache que había arrancado más cueros cabelludos que reptiles había en las piedras en que se refugiaba.

Y el hombre a quien creía odiar por su temperamento fanfarrón, era el más digno de estimación de todos, ya que si era un agente estaba al servicio de la ley y el orden.

No sabía qué era lo que debería hacer cuando se encontrara frente a su padre. No podía confesar que había oído su conversación con Will, pero tampoco podría olvidar todo lo escuchado y seguir considerándole como hasta entonces.

El regreso de Norman de la nave de los vaqueros dispuestos a reanudar su discusión de antes, colmó la resistencia de Lydia, que insultó al joven y le amenazó con pegarle con el látigo si no se iba de allí.

Norman, sorprendido por esta violencia, se encogió de hombros y montó a caballo dispuesto a alejarse, pero fue llamado desde el interior de la casa por Morris.

Mientras los tres estaban reunidos dentro, Lydia paseaba muy nerviosa por la galería en lucha con sus intenciones.

Jerónimo había causado muchas víctimas y continuaba causándolas entre los colonos, especialmente, que tenían que vivir agrupados para poder presentar, aunque sólo fuese una modesta defensa. Los indios poseían los mejores caballos y el armamento más moderno con municiones sin límite. Sería, por lo tanto, un buen servicio a la patria y a sus semejantes, avisar al capitán de quienes eran los que ayudaban a los indios.

Pero, por otro lado, se trataba de su padre, que sabía lo mucho que la amaba.

Pensando en las muchas veces que le había oído decir que la llevaría al Este para que viviera como una reina europea, llegó a la conclusión de que tal vez todo lo que hacía era para poder conseguir ese bienestar. Claro que no debió buscarlo nunca por esos medios. No podría, de saber todo eso, disfrutar un solo centavo que habría de estar impregnado de sangre y lágrimas.

Carecía de valor para plantear a su padre con toda crudeza y claridad su disgusto por lo que sucedía. En cambio, empezó a tomar cuerpo en el interior de su bella cabeza la idea de escapar de casa. No tenía adónde ir porque ahora empezaba a unir hechos pretéritos y a tener la seguridad de que siempre habían huido de la ley.

Al ver venir a Eddy, suspendió sus pasos y pensó con rapidez en que era un verdadero peligro para ese muchacho encerrarse con aquellos tres que le odiaban por ser un agente.

Montó a caballo y salió a su encuentro, diciendo:

—Antes de que eches pie a tierra tienes que demostrarme que este caballo no me venció por casualidad una vez.

—Te venceré siempre que yo quiera.

—¿Lo crees así de veras?

—Vas a comprobarlo tú ahora mismo si lo deseas.

—Sí; eso es lo que quiero.

Eddy, dijo:

—¡Mira! Tu padre nos está haciendo señas de que vayamos. ¡Ah...! Si es Will Bradley aquel otro y Norman. ¿Me guarda rencor este último?

—Está deseando tener oportunidad de matarte. ¡Debes andar con cuidado!

—Muchas gracias, Lydia. Me parece que ahora me odias un poquito menos.

—Es muy posible. ¡Cuidado, que Norman viene hacia nosotros!

—¡Norman...! —Gritaba Morris—. ¡Ven aquí! ¡No seas loco...!

Pero Norman, con las manos apoyadas en el cinturón, avanzaba firmemente hacia Eddy, que continuaba jinete hablando con Lydia.

—¡Sepárate de mi lado, Lydia!

—¡Ten cuidado...! ¡Saben que eres agente...! ¡Cuídate de los tres...!

No sabía explicarse la razón de hablar así, pero era lo cierto que ya no tenía remedio.

Eddy, gritó:

—¡Eso que intentas, Norman, es una locura! Puedo encabritar mi caballo y cubrirme con él, si fueras más rápido que yo, y no lo eres.

Norman, en silencio, seguía avanzando.

Eddy, de un rápido salto, se puso de pie en el suelo, gritando:

—¡Quédate ahí, Norman...! ¡Si quieres que peleemos, defiéndete!

—¡Voy a matarte, fanfarrón de los demonios!

—¡Norman! —Seguía gritando Morris—. Deja a ese muchacho y ven aquí.

—¡Quietos ahí vosotros también!

Morris y Will, al oír la voz de Eddy, quedaron como clavados en el suelo.

—Esto lo arreglaremos nosotros dos. ¡Cuando quieras Norman...! No esperes la ayuda de esos dos, porque no llegarían a tiempo.

Norman se quedó paralizado también. Volvió la cabeza y vio a los otros dos muy atrás aún.

—¡Sois dos cobardes! —Les gritó—. Me dejáis solo frente a él. No creáis que le temo. Ya sabía yo que no os atreveríais a pesar de vuestras palabras.

—¡Tú sí que eres un miserable embustero...! —Dijo Morris, al tiempo que sus manos buscaban las armas. Pero Eddy, con mayor rapidez que ellos, disparó tres veces con un resultado trágico.

—Siento haber matado a Morris. No era tu padre, ni yo su sobrino.

—¡Eh...! ¿Que no era mi padre? ¿Cómo lo sabes?

—Me lo dijo en los primeros momentos cuando me creyó su pariente. Después empezó a sospechar de mí como agente especial, dedicado a ellos. Eres hija de un amigo suyo que murió. Te ha usado como hija suya.

Lydia, a pesar de todo, se abrazó llorando al cadáver del que había sido para ella hasta entonces su padre.

—No pude tener una milésima de descuido. Eran tres pistoleros, lo habían acordado bien. Se insultarían entre ellos. Así no me sorprendería que quisieran pelear. Si dejo salir las armas, sería yo el muerto y tú no habrías sospechado la verdad.

—Lo había sospechado porque oí la conversación poco antes de llegar tú. Hablaban de Jerónimo y de armas que pasaban hacia México.

—Will Bradley debía ser el jefe de todo esto. Era el único blanco que podía entrar en esas montañas sin ningún peligro.

—También lo he oído y Will decía que, para ello, al llegar a los pasos que están vigilados, levantaba tres veces el fusil sobre su cabeza y dos veces hacia los lados. Es la contraseña convenida con Jerónimo.

El rostro de Eddy se alegró mucho.

—Vendrá el sheriff tan pronto se entere por Juana o los vaqueros. Yo he de marcharme, porque me sería muy difícil convencerle.

—Pero ¿no eres un agente? Eso decía mi padre a Will.

—¡No...! No lo soy. Mi padre, siendo completamente inocente, fue condenado por contrabando de armas. Encontraron en su caravana muchos fusiles y rifles que debieron dejar los dueños de dos carros que pasaron la noche con ellos. Uno de esos carros pertenecía a John Morris. Le he buscado por todos sitios. Por un íntimo amigo suyo me informé de toda su vida. Es cierto que tiene un sobrino.

—Debes perdonarme, Eddy por cuanto te dije al llegar. Podríamos hacer creer que fue Norman quien peleó con ellos. Dispararon sus armas y así lo creerán, sobre todo si soy yo quien lo dice como testigo.

—¡Gran idea...! Así podré saber por los vaqueros quién es el jefe de todo esto.

En pocos minutos estuvo todo preparado para que el más perspicaz cayera en la trampa.

* * *

Cuando Nopperling y Eddy llegaron a la puerta de la oficina del sheriff de Tucson salía de ella la pequeña Peg que, al conocerles, saltó gozosa alrededor de los caballos entre gritos de llamada a su padre.

El sheriff mostró una satisfacción como su hija de ver a los dos jóvenes, invitándoles a pasar a su oficina.

Por fin se dejaron convencer los tres por la pequeña y marcharon hacia el rancho. Durante el camino, Eddy, refirió lo sucedido en Benson y su propósito de intentar ir por el bosque de saguaros hasta la madriguera de Jerónimo, el indio que empezaba a sentirse acorralado y que tenía un buen depósito de armas de los contrabandistas que negociaban con México.

El de la placa, comentó:

—No creo que Jerónimo esté mezclado en esos asuntos. Odia a los blancos y no habría quien hablara con él. Ni los mexicanos ni nosotros saldríamos con vida de esas montañas. No debes ir, muchacho.

—Alguna vez hay que terminar con todos ellos. Llevan ya más de catorce años campando por sus crímenes y robos esos indios tan crueles, que deben de estar ayudados por algunos blancos a cambio de gran parte del botín de estos asesinos.

—Piensa que debes de avanzar por una zona desértica muy amplia que se domina desde las atalayas de esa isla de rocas en que se guarece Jerónimo.

—Dentro de unos días llegarán aquí unas piezas de artillería. Otras bajarán por Wilcox; caminarán desde Benson y ascenderán de Douglas. Si yo tengo éxito no será necesario usar tantas fuerzas.

—La artillería, tampoco va a poder hacer nada. Ya se empleó contra Jerónimo y no consiguieron ni tan siquiera asustarle. No pudieron llegar hasta sus montañas. Como está rodeado de zona muy desértica no hay posibilidad de la sorpresa. Ellos vigilan constantemente.

—Todo eso es cierto. Por eso estoy seguro de que el mejor medio es la astucia.

El sheriff, en tono preocupado, le dijo:

—Es demasiado arriesgado y peligroso lo que pretendes hacer. Mi consejo es que no lo intentes.

—En noches que sean oscuras, podré llegar hasta las montañas donde están los vigilantes sin que me oigan. Sé caminar con tanta o más suavidad que ellos.

—Si te descubren...

—Ya lo sé. Mi cabello adornará al autor de mi muerte. ¡A pesar de todo estoy decidido!

—¿También va tu amigo?

—No. Voy yo solo. El esperará aquí el resultado de mi excursión. Si fracaso avisará al capitán en Benson y la artillería, entonces, tratará de vengar mi muerte.

Habían llegado al rancho. Addie y su madre se mostraron muy contentas con la visita de los dos jóvenes.

Nopperling, después de los saludos, informó:

—¿No sabes, Addie? Eddy está enamorado de la dueña del rancho y eso que es prima suya.

—¿Y ella?

—También le ama, aunque es muy orgullosa y no lo confesará con facilidad.

Al generalizarse la conversación, en la que la traviesa Peg llevaba la parte principal, Nopperling fue perdiendo el temor del principio y volvió a ser lo que fuera la otra vez que estuvo allí.

Les obligaron a quedarse, porque el sheriff, aunque no dijo nada a Eddy, temía que los muchachos de Austin, especialmente el sobrino que se hizo cargo del rancho, si sabía la llegada de los dos amigos, trataran de provocar algunos jaleos, obligando a Eddy a matar de nuevo o cayendo él en una trampa. De frente estaba seguro de que no había quien se le adelantase.

Pero Peg, que a la mañana siguiente habló con los vigilantes do Tucson de esta visita y los que al llegar el día vieron a los dos amigos, a quienes conocieron, hizo que en el rancho que fue de Austin se supiera y que varios jinetes, de modo precipitado salieran en dirección al rancho del sheriff cuando ya los dos amigos habían salido hacia los saguaros.

El sheriff ya estaba en la oficina y ni Addie ni su madre podían comprender el peligro que estos hombres suponían para los dos jóvenes. Pero Addie al marcharse los jinetes se dio cuenta de lo que se proponían y como no les dijeron hacia dónde se habían marchado, montó a caballo y se encaminó, describiendo un arco por el norte, hasta las ruinas del fuerte Lowel y de aquí, por el viejo camino, a la Speedway Avenue.

Cuando Addie salió a esta planicie sin vegetación, no vio lo que buscaba y eso que allá, cuatro millas más adelante, veía como se elevaban los famosos saguaros, con sus dedos gigantescos, y sus espinosos troncos hacia el firmamento. Hizo galopar sin descanso a su caballo y entró en el bosque de cactus, decidida, llamando a gritos a los dos amigos

Fue Eddy el primero en oír a Addie. Estaban los dos descansando dentro del refugio que era de Will y que estaban registrando minuciosamente en espera de hallar alguna pista que condujera a los directores de aquella especulación con las armas.

Capítulo Final

Inmediatamente, corrieron los dos al encuentro de la joven, extrañados de esta visita.

Ella se dejó caer en los brazos de Nopperling al desmontar y les dijo que los vaqueros del rancho de Austin venían detrás de ellos.

—¿Saben que venimos hacia aquí?

—Se enterarán por mi padre o por mi hermana. Ella no se da cuenta de la importancia de las cosas.

—¡No te preocupes! No se atreverán a venir detrás de nosotros por esos montes pelados y arenosos.

—Se atreverán porque han jurado que os matarían. Iban a marchar hasta Benson en vuestra busca.

—Debes volver a casa.

—Sí. Iré por el camino de Redigton y Tanque Verde. Así no les encontraré. Pero vosotros, prometedme que tendréis mucho cuidado.

—¡Ya están ahí! —Dijo Eddy—. Lleva a Addie al

refugio de Will. Allí estará más segura.

Nopperling rápidamente obedeció a Eddy, haciendo que la joven le siguiera hacia el refugio de donde cogió los dos rifles que eran de ellos, quedando en la pared colgado uno que debió pertenecer a Will.

Acto seguido, al reunirse con Eddy, éste recogió al rifle, diciendo:

—Sería muy conveniente que no les dejáramos entrar en el bosque.

—Es cierto, pero ya no es posible evitarlo.

En efecto, llegaban a los primeros saguaros los jinetes que también habían visto a los dos amigos iniciando en este momento los disparos.

Se colocaron detrás de dos saguaros gigantescos, corriéndose Eddy hacia uno de los muchos arbustos que había, entre cuyas ramas que también eran espinosas, podía vigilar mucho mejor. Desde allí vio cómo avanzaban de árbol en árbol aquellos decididos muchachos contra los que sentía escrúpulos en disparar y a quienes le habría agradado convencerles para que se alejaran.

Pero Nopperling, que sin duda temía por Addie, no pensaba lo mismo y disparó con acierto tétrico las dos veces primeras. Acierto que apuntó la primera intentona de huida, contenidos por una voz potente.

Eddy, le llamó en voz baja:

—¡Nopperling...! Llévate a Addie hacia las montañas peladas y que monte en mi caballo. Yo llevaré el suyo. Les tendré distraídos hasta la noche. Me esperáis lejos de aquí. Ella debe volver inmediatamente al pueblo. No te importe que la vean. Son siete los que quedan aún y no cometerán otra torpeza, como esos dos. Nos irán rodeando y no será fácil la defensa si nos obstinamos en permanecer aquí. Irás por el sur de la cordillera pelada. No podrán veros desde donde están. Yo les obligaré a que no asomen la cabeza.

Nopperling no quería discutir, comprendiendo que era razonable lo que Eddy decía. Le dijo:

—De acuerdo. Cuando decidas marcharte de

aquí, sigue toda la ladera sur. Yo te esperaré.

Eddy hizo unos cuantos disparos rápidos, arrancando trozos de tronco de saguaros, tras los que sabía que estaban escondidos los jinetes. De este modo les obligaba a una quietud casi absoluta. Quietud que Eddy quiso aprovechar para colocarse un poco más al flanco de ellos. Pero de momento no debería disparar hasta no ver a Nopperling y Addie alejados.

Se arrastró por el suelo cubierto de matorrales y arbustos pequeños y caminó muchas yardas.

Cuando se incorporó, lentamente, junto a un saguaro, vio ante él a los jinetes que estaban pegados a los troncos espinosos que les servían de escudo. Ellos sólo llevaban revólver. Ahora comprendía Eddy que esta circunstancia era la que realmente les había mantenido sin acercarse hacia ellos. La causa no había sido los disparos con acierto de Nopperling.

—¡Se escapan! ¡Se escapan! —Gritó uno de aquellos hombres saliendo como un loco y echando a correr detrás de Nopperling y Addie, a quienes sin duda había descubierto.

Le repugnaba a Eddy disparar así, pero debía salvar a la joven, sobre todo. Apuntó y oprimió el gatillo.

La detonación procedente de la espalda de donde estaban los jinetes les produjo enorme confusión, especialmente al ver cómo cayó muerto el que corría gritando poco antes. Otros disparos más y otra nueva víctima. Cayó el dueño del rancho que heredó a la muerte de Austin, lo cual hizo que los demás se replegaran en franca huida hacia los caballos.

Eddy pudo hacer más víctimas, pero prefirió no disparar, convencido como estaba de que irían hacia el pueblo arrepentidos del intento.

Pero no pudieron satisfacer sus deseos de huida.

En ese momento, el sheriff al frente de un grupo de vaqueros les hizo levantar las manos cuando iban hacia los caballos, saliendo del bosque de cactos.

—¿Qué es lo que habéis hecho con esos muchachos? ¡Vamos, responded...! —Gritó el sheriff.

—¡Estamos bien, sheriff! —Gritó Eddy con toda la fuerza de sus pulmones—. ¡Addie está bien, no tema!

Los acompañantes del sheriff desarmaron a los del rancho de Austin.

Luego, el sheriff llamó a Eddy y éste acudió a su encuentro, refiriéndole lo que había sucedido.

—Deben enterrar esas víctimas. Will me habló de unos necróforos gigantescas que devoran con rapidez todo cadáver que encuentran.

Ordenó el sheriff que se recogieran las víctimas para ser enterradas en Tucson.

En seguida montó a caballo Eddy y a la caída de la tarde, y no antes, encontró a los dos jóvenes. Como Eddy mostrara su extrañeza, dijo Nopperling:

—No ha querido marcharme. Le iba a acompañar un poco más a Addie, donde ya estuviese a salvo e iba a volver. No quería dejarte solo.

—Vete con ella. No tenéis que temer nada.

Al conocer lo que Eddy refirió, dijo Addie:

—Debías retrasar unos días este viaje, Eddy. Temo por mi padre. Ese rancho de Austin sigue siendo un vivero de gunmen. Si le ven solo, le matarán.

—Sí, tienes mucha razón. Nos quedaremos unos pocos días más. El capitán sabrá comprender cuando le explique las causas.

Regresaron todos al rancho del sheriff, alegrándose éste de que retrasara un poco el peligroso viaje a las montañas Chiricahuas.

* * *

Eddy admiraba las esculturas naturales y las rocas balanceantes colocadas por la naturaleza.

El joven estaba tan sorprendido del panorama como del silencio que reinaba en aquel paraje, extrañándole no encontrar huellas de indios en ninguno de aquellos caminos. Las huellas que iba encontrando de mocasines, eran ya bastante antiguas.

Llevaba ya tres días encerrado en aquel extenso refugio, caminando con todo el sigilo que requerían las circunstancias y sus nervios empezaban a sentir el efecto de la enorme tensión a que estaban sometidos, decidiéndose a caminar sin tanta precaución y con menos miedo.

Sabía que los indios eran de un sadismo inconsciente que enervaba y que cuando tenían rodeada una pieza, animal o humana, no se movían lo más mínimo hasta hacer saltar los nervios del acorralado, que corría ciego hacia una muerte cierta.

Cuando llegó a la zona de vegetación desértica muy parecida a la del bosque de saguaros, Eddy no salía de su asombro. Un grupo de soldados caminaba con tranquilidad llevando los caballos de la brida.

¿Serían indios disfrazados...? Este pensamiento le hizo esconderse con mucha presteza, pues los indios habían sacrificado muchos soldados y la astucia de Jerónimo le llevó a emplear estos uniformes en asaltos a ranchos y diligencias. Por eso, Eddy preparó su rifle y esperó con paciencia a comprobar si hablaban o no en indio. No tardarían en pasar ante él. Pero, de pronto, se puso en pie y empezó a gritar. Acababa de conocer al capitán.

Este también le reconoció a su vez.

Cuando Eddy se abrazó al capitán minutos después, éste dijo:

—Jerónimo se ha entregado. Está en Tumacacuri. Ha pedido que sea allí donde lo maten. Sin embargo, Pie Grande se ha escapado. Debe estar escondido por estos cañones, y seguramente, habrá algunos indios con él.

—No comprendo que Jerónimo se haya entregado.

—No lo ha hecho por voluntad propia. Se vieron rodeados cuando estaban asaltando un rancho donde por casualidad descansaba una Compañía de Caballería que venía a reunirse con mis hombres. Cuando le veas comprenderás sus crueldades. ¡Es terrible...! Su rostro es frío e inexpresivo. Sabe que le matarán, pero no le importa. Quizás por este motivo, o más bien, porque quiere llevarse con él a todos los blancos que han participado y a los que, a pesar de haber colaborado con él, sigue odiándoles con todas sus fuerzas, ha confesado lo de las armas y ha dicho cuanto sabe. El jefe era Will Bradley. Las armas vienen desde Denver a Las Vegas. Es, pues, cierto lo que Lydia oyó. Ella te espera en Benson, pero no debías ir.

—¿Por qué motivo?

—Uno de los complicados en este asunto, era el sheriff de Tucson. Austin era un agente que seguía muy de cerca este asunto y tú lo mataste. Pero para desgracia tuya has matado a otro agente. Era el sobrino de Austin, el que heredó su rancho. Le mataste en el bosque de saguaros. Pero, no te preocupes, porque yo diré que no te he visto. Podrás quedarte aquí una temporada y luego marcharte de este estado.

—Pero...

—Más he dicho yo en tu favor que tú pudieras decir. Pero, eres un huido de la cárcel de Las Vegas. Has matado a dos principales, y aunque lo hayas hecho en legítima defensa, ello no resta tu culpabilidad.

—Yo defendí mi vida.

—Austin te creyó un gunman al servicio de los contrabandistas.

—No lo soy.

—Comprendo tu desgracia. ¡Márchate lejos o quédate en estos cañones! Si tantos hombres pudieran resistir catorce años, uno solo le será más fácil. Ella vendrá a verte, se lo diré yo. Creo que, dentro de un tiempo, se podrá aclarar tu actuación y podrás volver.

—Muchas gracias.

—¡Ah! Nopperling se casará con Addie. Es otro agente que ha intentado defenderte sin éxito.

—¡No lo entiendo...! Porque Nopperling luchó contra Austin y los suyos.

—Sí. Ya lo saben. Austin no enfocó bien el asunto porque estaba muy disgustado con el sheriff. Por eso quiso colgarle. Al dejarte escapar confirmó sus sospechas y perdió un poco la razón. Nopperling te estima. Sabía quién eras y vivió contigo.

—¿Había armas aquí?

—Muchas. Jerónimo nos entregó varias partidas. Quería venderlas por su cuenta.

—No comprendo lo del sheriff de Tucson. ¡No lo creo! Ese hombre me ayudó. ¡No lo creo culpable!

—Había informes de Austin, secretos hasta ahora.

—Pues no lo creo.

—Nadie lo cree en el pueblo.

—Quisiera ver a Lydia, capitán. ¡Déjeme ir con usted!

* * *

Están reunidos, el capitán Nopperling y Lydia. El capitán, dijo:

—Esta es una buena noticia para Nopperling y Eddy. No creían en la culpabilidad del sheriff.

En ese momento, entró Eddy, que preguntó:

—¿De qué habláis, Lydia?

—Me está diciendo el capitán que el sheriff no es culpable. El Austin que mataste no era el agente que fue a Tucson. Era un impostor.

—Entonces yo...

El capitán, contestó:

—Lo siento, pero el otro era el sobrino del autentico Austin y también agente y le mataste tú en el bosque. Esto tiene su defensa, porque iba a buscarte para matarte, pero te repito, que no es el momento de aclararlo. Además, a tu favor esta, que ese agente, se tenía que haber presentado como tal a Nopperling, cosa que lamentablemente, no lo hizo. Dame un par de meses, y te aseguro que estarás libre de este delito. Podrás volver, pero tendrías que volver a la cárcel. Con nuestras cartas de recomendación saldrías al momento, pero para vivir tranquilo a partir de ahora, debes de cerrar ese pasado oscuro de tu vida.

Eddy, en tono triste, dijo:

—Entonces debo marcharme.

Lydia, le dijo:

—Sí. Pero, yo te estaré esperando y cuando todo se aclare, te acompañaré hasta la cárcel. Después empezaremos una nueva vida.

—Pero...

El capitán, añadió.

—La patrulla del desierto te dejará en la frontera, no tienes que temer nada.

—Capitán, con esto se juega...

—Ya lo sé. No te preocupes. Creo que lo merecéis los dos. Nopperling está de acuerdo conmigo.

Dirigiéndose a su amigo, le dijo:

—No te perdonaré que me hayas engañado.

—No tenía más remedio, Eddy, pero te tomé cariño en Las Vegas. Eres impulsivo y buen pistolero, pero siempre buscas la cara en las peleas. Eres noble y valiente. Un error puede cometer cualquiera. No te preocupes, que con mi testimonio y el del capitán, se aclarará la muerte del agente y podrás volver muy pronto. Luego, también yo te acompañaré hasta la cárcel. Ya verás como dentro de un par de meses, estarás libre de cualquier posible culpa... ¡Te echaré de menos...!

Se abrazaron con cariño, los dos amigos, pero fueron interrumpidos por Lydia:

—¡Vamos...! Debes de marcharte, Eddy.

—Te acompaño —dijo Nopperling.

—Y yo —medió el capitán—. Así estarás más seguro hasta salir del pueblo.

—¡Hasta pronto...! —Dijo Eddy a Lydia.

—¡Te esperaré...!

—¡Te esperaré!

Se abrazó a él llorando. Los amigos también estaban tristes, pero no había otra salida de momento. Aunque sabían que el problema estaría resuelto en breve.

FIN

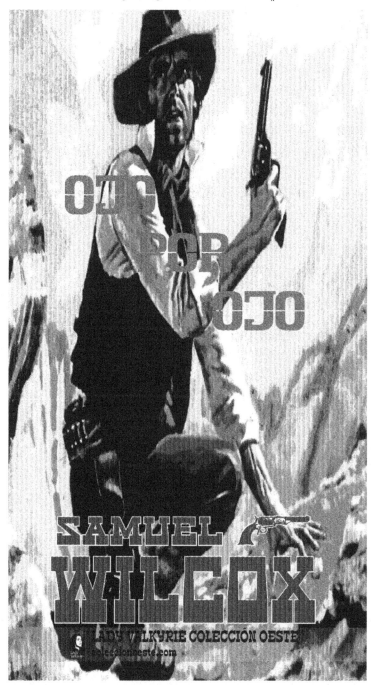

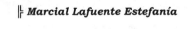

MONTANA

LABOR
JUSTICIERA

LADY VALKYRIE COLECCIÓN OESTE ©
coleccionoeste.com

¡Visite LADYVALKYRIE.COM
para ver todas nuestras publicaciones!

¡Visite COLECCIONOESTE.COM
para ver todas nuestras novelas del Oeste!

Made in United States
Orlando, FL
15 April 2022

16890022R00082